L'UNION FAIT LA FORCE

BIBLIOTHÈQUE RURALE

INSTITUÉE PAR LE GOUVERNEMENT.

MANUEL D'IRRIGATION.

BRUXELLES.

1850

STAPLEAUX
éditeur.

1re SÉRIE, N° 8.

BIBLIOTHÈQUE RURALE

INSTITUÉE

PAR LE GOUVERNEMENT.

MANUEL D'IRRIGATION.

MANUEL

PRATIQUE

D'IRRIGATION

PAR J. DEBY,

PROFESSEUR D'AGRICULTURE A L'ÉCOLE CENTRALE

BRUXELLES.

G. STAPLEAUX, IMPRIMEUR-ÉDITEUR.

RUE D[illegible] MONTA[illegible]

1850

PRÉFACE.

A côté de champs riches et fertiles l'on voit en Belgique d'immenses terrains incultes.

Changer ces terrains déserts en pâturages productifs capables de nourrir de nombreux troupeaux, ce serait sans doute un des plus grands services qu'on pourrait rendre au pays.

Le petit traité que nous publions a pour unique but d'enseigner comment on peut opérer cette métamorphose. L'auteur a consulté les sources les plus dignes de foi et s'est souvent permis d'y puiser largement; il a étudié avec soin les travaux de Vincent, de Patzig, de Polonceau, de Pellault, de Villeroy, de Puzos, de Schwertz, de Gasparin, etc.; il a tâché de généraliser et de coordonner autant que possible toutes les observations pratiques essentielles de ces divers auteurs.

Il laisse au public le soin de juger jusqu'à quel point il a rempli sa tâche. Il ose cependant espérer que ce petit travail pourra être de quelque utilité.

L'auteur croit devoir prévenir le lecteur que, dans

les pages suivantes, il s'est souvent vu contraint de sacrifier la forme dans l'intérêt de la clarté des détails; il pense que l'agriculteur sensé préférera toujours du bon grain à des fleurs de rhétorique.

Les dénominations qu'il a données aux divers genres d'irrigation sont des traductions libres de celles dont s'est servi Vincent dans son excellent petit traité allemand sur l'irrigation; nous n'attachons aucune importance à ces noms que nous n'employons que dans un but de laconisme.

MANUEL PRATIQUE

D'IRRIGATION.

CHAPITRE PREMIER.

DE L'EAU.

Observations générales.

L'influence bienfaisante de l'eau sur la végétation est connue depuis longtemps. Des districts entiers dans le midi de l'Europe doivent leur belle réputation agricole et leur principale richesse à l'emploi bien dirigé de ce liquide.

L'eau est, pensons-nous, bien loin d'être appréciée à sa juste importance. Ne voyons-nous pas constamment des fleuves qui charrient improductivement leurs eaux riches en principes fertilisants? Ces engrais précieux vont se perdre dans l'Océan, alors qu'ils pourraient ajouter des millions à la valeur du sol et rendre utiles à nos besoins de vastes terrains aujourd'hui déserts et improductifs.

Afin de bien faire comprendre ce que nous avançons ici, cherchons à donner quelques mots d'explication relativement à l'action de l'eau sur la végétation des prairies.

De l'eau considérée comme engrais.

C'est surtout comme aliment que l'eau sert dans

les irrigations, non pas directement, mais bien par suite de la présence de substances qu'elle tient en dissolution, telles que l'ammoniaque, l'acide carbonique, les matières azotées organiques, le bicarbonate de chaux, le bicarbonate de magnésie, la potasse, la soude, le soufre, etc., matières qui sont les mêmes que celles qui se trouvent dans les fumiers de ferme et qui constituent la nourriture des plantes. Les végétaux, comme on l'a fort bien dit, boivent mais ne mangent pas; ils ne peuvent s'assimiler que des corps à l'état liquide ou gazeux. On comprend par là l'utilité de l'irrigation; elle met en contact avec les racines une nourriture abondante.

La quantité de substances absorbées immédiatement par les plantes croissant dans un champ inondé est faible; mais le restant de ces substances se fixant dans le sol, soit par simple infiltration, soit par combinaison chimique, y forme un riche magasin permanent, où le végétal va puiser aux époques où la prairie reste sans eau.

L'eau la plus limpide en apparence est souvent la plus riche en matières minérales utiles : l'analyse suivante d'une eau courante parfaitement limpide faite par M. Bertels, chimiste de la Société Economique de la Poméranie, nous en fournit la preuve :

Matières contenues dans 27 décimètres cubes d'eau.

Carbonate de chaux	4.525 gr.
Carbonate de magnésie.	831
Silice	594
Sulfate de chaux.	138
Chlorure de sodium (sel marin) . .	244
A reporter.	6.332

Report	6.332 gr.
Protoxyde de fer	131
Alumine	43
Sulfate de potasse	119
Débris organiques azotés	462
Acide humique et ammoniaque . .	132
	7.219

Plus de l'acide carbonique libre.

L'eau de l'Escaut est parfois d'une limpidité absolue, quand elle n'est pas troublée par des matières vaseuses ou siliceuses; cependant, elle contient une proportion considérable de substances dissoutes, ainsi qu'on en peut juger par l'analyse suivante, faite par M. Bidbuk, ingénieur des mines, et publiée dans les Annales des travaux publics de Belgique :

Quantité d'eau essayée = 1 litre.

Résidu total laissé par l'évaporation = 15 gr.

Ce résidu était composé de :

Matières organiques	1.188
Sel marin	9.952
Chlorure, bromure, iodure magnésique.	2.319
Sulfate magnésique	0.638
Sulfate calcique	0.874
Perte. .	0.029
	15.000

L'on peut poser en règle générale que l'eau la plus claire est celle dont on doit ordinairement se servir de préférence pour les irrigations sur des sols argileux ou limoneux.

Sur les terrains marécageux, tourbeux et sablonneux, il est infiniment préférable d'opérer des irrigations à l'aide de l'eau trouble, c'est-à-dire de celle qui tient en suspension (et non à l'état de dissolution) des particules limoneuses ou terreuses [1]. L'inconvénient principal des ruisseaux impurs, c'est leur tendance à faire disparaître les pentes artificielles et à niveler, à la longue, tous les travaux [2].

La même eau, versée sur des terrains de nature différente, peut amener sur chacun de ceux-ci une végétation spéciale; le même phénomène s'observe lorsqu'on arrose des sols de composition identique avec des eaux de qualités diverses.

L'irrigation tend à produire une balance entre la somme des matériaux absorbés par les herbages (pendant toute leur croissance) et la quantité d'engrais amenée par l'eau; il faut, en d'autres termes, que le poids du foin récolté par an soit l'équivalent des substances nutritives amenées sur la prairie pendant le même laps de temps [3]. Le produit de la culture est en raison directe de la masse d'eau versée sur le sol, ou plutôt de la quantité de corps utiles contenus dans cette eau; le terrain étant supposé stérile sans la présence de l'eau.

En augmentant la quantité d'eau, on peut augmenter (jusqu'à de certaines limites) le produit en fourrages et *vice versa*; aussi, mieux vaut-il irriguer vingt ares de terre avec de l'eau en abondance, que deux cents d'une façon trop parcimonieuse et insuffisante.

L'eau varie en qualités selon les localités et même selon les saisons; dans tel endroit, elle est riche en engrais; dans tel autre, au contraire, elle est fort

[1] Nous n'entendons pas par eaux troubles les eaux qui sont riches en particules organiques tenues en suspension comme celles des rivières qui traversent nos villes, mais seulement celles dont la limpidité est troublée par des particules terreuses.

[2] Voir le chapitre XII, qui traite du limonage des prés.

[3] Il faut cependant déduire de la masse d'engrais à fournir aux plantes l'acide carbonique tiré directement de l'air, ainsi que l'ammoniaque formée pendant les orages et qui sert également de nourriture aux végétaux. (Voir le *Traité de chimie agricole* de la Bibliothèque rurale.)

pauvre; ceci influe nécessairement sur la végétation. Dans le dernier cas, l'application directe de purin, indépendamment de l'eau d'irrigation, est souvent indispensable.

Un fait qui s'est constamment reproduit dans la pratique, c'est que, dans toute prairie irriguée, la végétation est d'autant plus belle qu'elle se trouve plus rapprochée de l'endroit d'où s'épanche l'eau; à mesure qu'on s'éloigne de ce point, les plantes diminuent en hauteur, les mauvaises herbes se multiplient, et la mousse se développe de plus en plus. La limite où commence cette dégénération varie selon la qualité de l'eau; plus cette dernière est fertile, plus aussi s'étend au loin son effet bienfaisant. Ce phénomène est dû à ce que les matières tenues en dissolution et en suspension dans l'eau se fixent dans le sol dès qu'on la lâche sur le terrain. Dans une irrigation bien dirigée, on détourne l'eau avant qu'elle n'ait atteint l'endroit où cesse de se manifester son action utile. L'eau qui a déjà servi se recueille avec soin, car après quelque temps de séjour dans les fossés d'écoulement, elle peut de nouveau être utilisée avec fruit pour de subséquentes irrigations. Cette eau absorbe probablement pendant ce laps de repos de nouvelles parties d'acide carbonique et de matières azotées.

Moyens de reconnaître les qualités de l'eau.

Le meilleur moyen de connaître la valeur agricole de l'eau, c'est d'en faire l'analyse chimique : cette opération étant longue, difficile et dispendieuse, on a recherché d'autres moyens de parvenir approximativement au même résultat. On est arrivé à déterminer à cet égard quelques règles qui paraissent générales.

Les meilleurs indices à suivre se déduisent de l'étude des plantes, celles qui croissent spontanément au milieu ou sur les bords des ruisseaux, des rivières ou des terrains inondés. Le fait de l'existence de ces plantes, vivant de substances tenues en dissolution dans l'eau, fournira sans doute un jour, si on le combine à des analyses chimiques des eaux où elles croissent, des maximes précieuses et sûres pour la pratique des irrigations.

Dès aujourd'hui, l'on sait que l'eau des rivières où croissent la renoncule aquatique (*ranunculus aquatilis*), les potamogètes, ou épis d'eau, tels que le potamogète embrassant (*potamogeton perfoliatus*), le potamègote flottant (*potamogeton fluitans*), les volants d'eau (*myriophyllum*), le cresson de fontaine (*nasturtium officinale*), la véronique mouron (*veronica anagallis*), la véronique cressonnée (*veronica beccabungœ*), est d'excellente qualité.

L'eau est de qualité moins bonne quand on y découvre la berle à larges feuilles (*sium latifolium*), la berle à feuilles étroites (*sium angustifolium*), le roseau (*arundo*), les patiences (*rumex*), les ciguës (*cicuta*), les menthes (*mentha*), les épiaires (*stachys*), les flûteaux (*alisma*), les salicaires (*lythrum*), les massettes (*typha*), les scirpes (*scirpa*), les joncs (*juncus*).

Elle est fort mauvaise quand, sauf quelques mousses et carets (*carex*), tels que le caret aigu, le caret roide (*carex acuta, carex stricta*), etc., on n'y aperçoit aucune végétation.

Pour l'appréciation de la valeur de l'eau de source, il est nécessaire d'étudier la nature du sous-sol. L'eau qui a coulé sur des bancs de marne est généralement bonne.

Celle qui s'est infiltrée à travers d'épaisses couches de sable est fort maigre.

L'eau provenant des marécages bas et celle qui s'écoule de pâturages verts, dont le sous-sol est bon, est généralement féconde, tandis que celle qui naît dans des tourbières, des marais ou des bruyères hautes, comme celles de l'Ardenne par exemple, est ordinairement mauvaise.

L'eau des lacs dont les affluents sont peu nombreux, dont les bords sont sablonneux, et dont la seule végétation consiste en quelques rares joncs et roseaux, est très-pauvre en principes fertilisants; elle ne peut que fort rarement être utilisée pour les irrigations.

La présence de charagnes (*charas*) indique une eau chargée de particules calcaires.

Quand les nénufars jaune et blanc (*nymphæa lutea* et *nymphæa alba*) croissent dans une eau, le courant en est peu rapide et la pente légère.

Plus la rivière traverse de villes et de villages, plus les champs dont les rigoles d'écoulement viennent y aboutir sont richement cultivés, et plus aussi l'eau de cette rivière est propre à la nutrition des plantes par suite des matières organiques qu'elle tient en suspension et en dissolution.

L'eau par elle-même, quelque peu fécondante qu'elle soit, n'est que fort rarement nuisible à la végétation; on ne doit se méfier, sous ce rapport, que de celle provenant de marais, de celle qui tient naturellement en dissolution du sulfate de chaux (gypse) ou du tuf calcaire en excès, et de celle dans laquelle se déversent les résidus de certaines fabrications; la première, dit-on, parce qu'elle contient de l'acide humique en excès; la dernière, parce qu'elle renferme des sels solubles délétères [1].

[1] Les eaux tourbeuses ou acides peuvent être améliorées par un procédé très-simple, qui consiste à les réunir dans des bassins de grande dimension, où l'on délaye des substances alcalines neutralisantes, telles que de la chaux vive, des fumiers gras et courts demi-consommés, des excréments animaux, etc.

On remédie partiellement à l'effet nuisible des eaux gypseuses en y mêlant des cendres de bois, du purin ou des engrais gras.

Le palliatif contre les eaux tuffeuses, c'est de placer dans les bassins

La couleur brune ou noirâtre de l'eau est un caractère qui n'est pas uniquement propre aux eaux des tourbières, comme on l'a souvent pensé; celle qui a traversé des forêts présente souvent la même nuance, et, dans ce dernier cas, elle n'en est que plus propre aux irrigations.

Les eaux de qualité délétère s'améliorent rapidement en s'éloignant de leur source d'infection, et cela par suite du contact de l'air, du mélange d'eau fraîche qu'amènent dans le lit commun les affluents de la rivière, et de la précipitation dans la vase du fond des particules hétérogènes nuisibles.

On peut quelquefois venir en aide à la pauvreté en matières nutritives d'une eau en y mêlant l'eau de fumier des basses-cours (purin); ce moyen ne peut malheureusement jamais s'appliquer sur une grande échelle, à cause de la rareté de cette dernière substance.

De l'action dissolvante de l'eau sur le sol des prairies.

L'utilité de l'eau comme dissolvant est la suivante :

1° Elle dissout, à chaque nouvelle irrigation, les matières nutritives qui s'étaient fixées dans le sol, et les met derechef en contact avec les racines de l'herbe, qui ne peuvent absorber que des matières liquides.

où on rassemble l'eau de nombreuses fascines de bois très-rameux, sur lesquels le tuf se dépose sous forme d'une couche incrustante.

Je dois faire observer, quant aux eaux contenant de l'acide humique en excès, que bien des chimistes croient que cet excès ne peut nuire Ils disent que cet acide humique, l'humus, ou l'ulmine, concourt, au contraire, très-activement à la fertilité du sol, et que c'est la grande quantité de ce produit de la putréfaction et de la combustion lente des plantes qui rend si productives les terres où se sont accumulées les détritus des végétaux. Peut-être trouve-t-il dans ces terres une base avec laquelle il se combine, qui en prévient la trop prompte absorption, et ne le rend aux plantes qu'en raison du besoin de leur développement.

2° L'eau entraîne avec elle, en s'écoulant, des substances dont l'excès pourrait nuire à la végétation.

De l'influence de l'eau sur la fixation des plantes dans le sol.

Des gelées et des dégels successifs amènent souvent à leur suite le déchaussement des graminées de prairie; c'est-à-dire que le collet et une partie de la racine sont mis à nu et exposés à l'air.

Ce phénomène, toujours fâcheux, diminue très-considérablement la récolte; aussi, quand ce cas se présente, est-il indispensable de faire un arrosement abondant.

Cette irrigation tasse le sol, fortifie les plantes, fait adhérer la terre aux racines, et fait généralement disparaître tout dommage.

Dans les pays où les gelées sont fortes et intermittentes, il est quelquefois avantageux d'inonder toute la prairie par un barrage de fossés de décharge, et cela pendant toute la période des gelées.

De la quantité d'eau que demande une surface à irriguer.

Comme nous avons déjà eu occasion de le dire précédemment, la quantité d'eau que demande une prairie est en raison inverse de sa richesse en principes fertilisants [1]; aussi nous est-il impossible de fournir des données positives à cet égard [2].

La masse d'eau est de plus subordonnée à la lar-

[1] Elle est de plus subordonnée à l'état de sécheresse du sol; les arrosements étant tantôt destinés à l'engraissement du champ, tantôt à rendre solubles les particules nutritives contenues dans le sol.

[2] M. Kümmer s'occupe de cette importante question, en étudiant les irrigations de la Campine.

geur des surfaces à irriguer, à la pente de ces mêmes surfaces, à la rapidité d'écoulement de l'eau et à l'épaisseur de la nappe d'eau.

Il est impossible de tenir compte d'une manière rigoureuse de ces dernières données. Dans la pratique, on se borne généralement à indiquer si l'arrosement doit être fait légèrement ou largement, c'est-à-dire si la nappe d'eau conduite sur la superficie de la prairie doit être mince ou épaisse [1].

[1] Il est quelquefois utile de connaître la quantité d'eau qui s'écoule par seconde à travers un orifice pratiqué dans une vanne mobile ou toute autre paroi mince ; c'est ce qu'on appelle le *débit* de l'eau. Ce débit s'obtient en multipliant l'aire de l'orifice exprimée en mètres carrés par la vitesse du courant :

$$D = V \times A.$$

La vitesse (V) s'obtient en multipliant la hauteur de l'eau au-dessus du centre de l'orifice par 19.62, et en prenant la racine carrée du produit :

$$V = \sqrt{h \times 19.62}.$$

Le débit se trouve donc par la formule

$$D = A\left(\sqrt{h \times 19.62}\right).$$

D = le débit.
A = l'aire de l'orifice.
h = la hauteur de l'eau depuis la surface jusqu'au centre de l'orifice.

Dans le cas où la paroi par laquelle s'écoule l'eau est un tuyau, un ajutage, ou que son épaisseur égale au moins $1\frac{1}{2}$ fois la plus petite dimension de l'orifice, la vitesse est considérablement réduite, et cette vitesse doit être multipliée par 0.82 pour donner un résultat exact.

Notre formule deviendrait alors :

$$D = A \times 0.82\sqrt{h \times 19.62}.$$

Le débit ainsi obtenu est celui de l'eau qui s'écoule par un orifice qui débouche à l'air libre, et dont le niveau est inférieur à la surface du réservoir qui fournit cette eau. Dans le cas où l'orifice d'écoulement est noyé ou aboutit au-dessous du niveau d'eau d'un second réservoir inférieur au premier, la vitesse n'est plus exprimée par les mêmes données que précédemment (c'est-à-dire que la hauteur n'est plus mesurée depuis le centre de l'orifice jusqu'à la surface du réservoir supérieur, mais que cette hauteur est représentée par la différence de niveau qui existe entre le niveau du réservoir supérieur et celui du réservoir inférieur.

Les débits obtenus par ces données sont théoriques, et diffèrent des débits effectifs, parce qu'on y a négligé les effets de la contraction particulière que présente l'eau s'écoulant par un orifice et qui en diminue le volume.

On obtient approximativement le débit effectif en multipliant le débit théorique par 0.62 quand l'eau s'écoule par un orifice entouré de

Je rapporterai cependant quelques données relatives aux quantités d'eau employées aux irrigations dans certaines localités.

Dans le département des Bouches-du-Rhône, notamment dans la Crau d'Arles, les agriculteurs pensent que, pour ces localités, il faut, par hectare de prairies, dans le courant d'un été sans pluie, quinze arrosages de $800^{m.3}$, soit par saison et par hectare un volume de 12,000^{m3}

M. Mescur de Lasplasnes évalue la quantité d'eau annuelle nécessaire à l'irrigation d'un hectare, dans le département de la Haute-Garonne, à 20 arrosages de $400^{m.3}$ ou à 16 arrosages de $500^{m.3}$. chacun, soit par hectare et par saison 8,000^{m3}

Entre Oran et Mascara, dans la vallée du Sig, on a barré la rivière de ce nom de manière à avoir une dérivation d'un débit de $3^{m.3}$ par seconde pendant les six mois d'avril à septembre. Les ingénieurs qui ont projeté et exécuté cet ouvrage estiment qu'il suffit à l'irrigation complète de 15,000 hectares de superficie. Cela fait, par saison et par hectare 3,116^{m3}

D'après une évaluation de M. Jaubert de Possa, il suffirait, pour l'arrosage annuel (par saison de six mois) d'un hectare dans le département des Pyrénées-Orientales, d'un volume de 2,626^{m3}

On voit qu'il règne une assez grande discordance

tous côtés ; par 1.035 × 0.62 quand l'orifice est fermé sur trois côtés seulement ; par 1.072 × 0.62 quand la contraction n'a lieu que sur deux côtés, et enfin par 1.125 × 0.62 quand la contraction n'a lieu que sur un côté.

dans les idées sur le point dont il s'agit. On doit remarquer que la quantité d'eau pour notre pays est moindre que celle qui est nécessaire dans les climats plus méridionaux dont il vient d'être parlé.

CHAPITRE II.

DU SOL.

Observations générales.

L'eau ayant une influence directe sur le sol, influence qui varie en raison de la nature de ce dernier, il nous importe d'étudier rapidement la composition des diverses terres qui peuvent être soumises à l'irrigation.

Un sol convenable doit se laisser imbiber d'une forte quantité d'eau, et cela, sans la retenir trop longtemps ni lui permettre de s'infiltrer avec trop de vitesse; il doit être formé d'éléments divers susceptibles de s'unir ou de se combiner avec les matières alibiles renfermées dans l'eau afin de les fixer en terre; il doit être perméable tant à l'atmosphère qu'à la chaleur; il doit être constitué de particules fines et non de grains grossiers; enfin il doit offrir aux racines des végétaux une station stable propre à les protéger contre le déchaussement ou l'entraînement par les eaux.

On peut classer les sols irrigables de la manière suivante :

1° *Sols sablonneux,* formés principalement de silice ou de sable;

2° *Sols argileux,* formés principalement d'alumine, base des argiles;

3° *Sols marécageux,* renfermant beaucoup d'eau et d'acide humique (produit de la décomposition de végétaux morts).

Des sols sablonneux.

Le meilleur terrain pour l'irrigation est sans contredit un sable argileux, chaud, sec, profond et contenant un peu de marne.

Les sables renfermant de l'humus, comme il en existe souvent auprès des marécages des pays de plaine, sont également très-propres à la création de prairies; ils produisent naturellement un gazon court et serré, lequel est cependant fort sujet au dessèchement pendant les chaleurs de l'été, si on ne les soumet à des arrosements bien pratiqués.

Quant aux sols sablonneux de nature autre que ceux indiqués, leur valeur dépend de leur ténacité, de leur épaisseur, de leur perméabilité, et de la profondeur où se trouve la couche imperméable du sous-sol.

Ordinairement, plus le grain est fin, et plus le sol a de valeur. Sur un terrain formé de sable à gros grains ou de graviers, et dont l'épaisseur est considérable, l'irrigation pourrait être sans effet, toute l'eau qu'on y verserait se perdant avec rapidité entre les interstices sans y déposer de principes fertilisants.

On doit cependant citer, comme un exemple remarquable d'irrigations sur du gravier, celles qui sont opérées, dans la vallée de la Moselle, sur un sol exclusivement composé de galets, débris des roches les plus dures des Vosges et du Hundsrück, telles que quartzites, grès, psammites, etc. Les opérations d'irrigation s'étendent sur une surface de 500 à 600 hectares, divisés en plusieurs centres d'exploitation. La grosseur des graviers dépasse souvent celle d'un œuf de poule, mais l'épaisseur du banc n'est pas très-considérable, il repose sur des bancs de marne du terrain triasique. Les résultats obtenus au bout de quelques années sur ces cailloux prouvent qu'il y a bien peu de terrains qui résistent aux effets des irrigations.

Les précautions les plus grandes doivent être prises lorsqu'on irrigue un sol sablonneux où croissent spontanément les plantes suivantes :

Le nard serré (*nardus stricta*),
La canche précoce (*aira præcox*),
La canche blanchâtre (*aira canescens*),
L'orpin brûlant (*sedum acre*),
Le panic verticillé (*panicum verticillatum*),
Le panic vert (*panicum viride*),
L'euphorbe cyprès (*euphorbia cyparissias*),
Le caret des sables (*carex arenaria*),
L'élyme des sables (*elymus arenarius*),
Les gnaphales (*gnaphalium*),
L'ammophile des sables (*ammophila arenaria*),
Des lichens (*lichen*),

ainsi que d'autres espèces analogues; car si la quantité d'eau dont on dispose est insuffisante pour arroser chaque portion d'une telle prairie au moins une fois toutes les cinq nuits non pluvieuses pendant tout l'été, la récolte sera infailliblement perdue par manque d'humidité nécessaire.

Il est toujours plus profitable de créer des sapinières dans des sables ingrats que d'y perdre et du temps et de l'argent, en essayant d'y créer des prés irrigués.

Tout ce qui précède n'est relatif qu'à des prés que l'on voudrait créer sur une couche de sable de grande épaisseur; dans le cas où les strates imperméables du sous-sol se trouvent peu éloignées de la surface du terrain, et où par conséquent le banc de sable est peu développé, l'irrigation est toujours possible et avantageuse, si toutefois la masse d'eau dont on peut disposer n'est pas trop peu considérable à l'époque des grandes sécheresses.

Un sol sablonneux froid est un indice certain de la présence, à peu de profondeur en terre, d'une source d'eau abondante; cette eau peut être riche en principes fertilisants, et le pré portera dans ce cas de bonnes plantes; ce sont généralement :

Le trèfle blanc (*trifolium repens*).
Le fiorin ou agrostis stolonifère (*agrostis stolonifera*).
Le vulpin genouillé (*alopecurus geniculatus*).

Ou bien cette eau souterraine peut être de mauvaise qualité, auquel cas la prairie sera aigre et ne portera que des végétaux de peu de valeur, tels que :

La bruyère quaternée (*erica tetralix*).
La bruyère commune (*calluna vulgaris*).
L'orpin (*sedum*).
Les drosères (*drosera*).
L'airelle des marais (*vaccinum uliginosum*).
Le polytriche (*polytrichum*).
Les sphaignes (*sphagnum*), etc.

Dans ce dernier cas, il est bon de creuser un grand nombre de fossés d'écoulement et d'établir un bon système de drainage, car l'excès d'humidité du sol est généralement tel qu'un arrosement artificiel y serait entièrement superflu et inutile.

Un fait presque constant, mais qui ne doit pas inquiéter le cultivateur, c'est la croissance spontanée d'une grande quantité de joncs dans tout pré sablonneux fraîchement soumis à l'irrigation : ces joncs disparaissent d'eux-mêmes au bout d'un fort petit nombre d'années; ils sont étouffés par la croissance luxueuse des plantes réellement utiles.

Des sols argileux.

Un limon siliceux ou une argile sableuse sont très-propres à l'irrigation.

Plus l'argile ou le limon sont lourds, tenaces et pauvres en silice, plus ils sont imperméables et partant impropres à la création des prés. Ces sols compactes retiennent l'eau, se fendillent en séchant, et ne peuvent servir à la culture des graminées de prairie qu'après des labours réitérés, qui doivent être renouvelés au moins une fois tous les vingt ans.

Lorsque les terrains limoneux et argileux sont froids, ils indiquent généralement la présence d'une eau souterraine, qui coule dans des couches de sable formant le sous-sol. Dans ce cas il faut, quand c'est possible, recourir au drainage [1], afin d'assainir la couche supérieure soumise à la culture.

Ces terrains tenaces et humides sont généralement ferrugineux, maigres et couverts de joncs.

Les labours profonds, l'égouttement et les amendements bien employés sont ici les remèdes nécessaires et infaillibles.

Des sols marécageux.

Les sols tourbeux et marécageux doivent leur origine à la décomposition de végétaux par l'action de l'eau. Cette eau provient soit du débordement de ruisseaux ou de rivières, soit de la stagnation des

[1] Voir le chapitre III.

eaux pluviales à la surface du sol ou sous celui-ci, soit enfin de l'existence de sources.

Les éléments nutritifs contenus dans cette eau servent à l'alimentation des plantes de marais, lesquelles, en cessant de vivre, augmentent d'année en année l'épaisseur de la couche tourbeuse.

Il existe en Belgique des tourbières anciennes et des tourbières récentes; les premières (celles de l'Ardenne, appelées *fagnes* ou *fanges*) ont cessé depuis longtemps de se développer; les secondes, au contraire (celles de la Flandre et de la Campine), se forment encore de nos jours.

La qualité de l'eau des tourbières ou marais peut se reconnaître à l'inspection des végétaux qui y croissent spontanément.

Les sols marécageux où croissent les plantes suivantes sont de bonne qualité :

L'aune (*alnus*).
Le trèfle des prés (*trifolium pratense*).
Le trèfle blanc (*trifolium repens*).
La marguerite ou pâquerette (*bellis*).
Les lotiers (*lotus*).
Les vesces (*vicia*).
Les gesses (*lathyrus*).
La consoude (*symphitum*).
L'ortie (*urtica*).
L'arnique (*arnica*).
Le cirse des lieux cultivés (*cnicus oleraceus*).
La renoncule rampante (*ranunculus repens*).
La renoncule à tête dorée (*ranunculus auricomus*).
Le populage des marais (*caltha palustris*).
Le pâturin des prés (*poa pratensis*).
Le pâturin commun (*poa trivialis*).
La fétuque des prés (*festuca pratensis*).
L'alopécure des prés (*alopecurus pratensis*).

L'alopécure géniculée (*alopecurus geniculatus*).

Le phalaris des marais (*phalaris arundinacea*).

Le ményanthe à trois feuilles (*menyanthes trifoliata*).

Si le sol est boisé on y trouvera en outre :

Les dorines (*chrysosplenium*).

Le groseillier noir (*ribes nigrum*).

Les ronces (*rubus*).

Le prunier sauvage (*prunus padus*).

Le fusain (*evonynus europœus*).

Les sols marécageux où croissent les végétaux ci-après désignés sont d'une valeur beaucoup inférieure.

La parnassie des marais (*parnassia palustris*).

La benoîte des ruisseaux (*geum rivale*).

La renouée bistorte (*polygonum bistorta*).

La lychnide fleur de coucou (*lychnis flos-cuculi*).

Le caille-lait des marais (*galium palustre*).

La potentille argentée (*potentilla anserina*).

La trolle d'Europe (*trollius europœus*).

La cardamine des prés (*cardamine pratensis*).

La valériane médicinale (*valeriana officinalis*).

La valériane dioïque (*valeriana dioïca*).

La pédiculaire des marais (*pedicularis palustris*).

Le laiteron des lieux cultivés (*sonchus oleraceus*).

L'orchis à larges feuilles (*orchis latifolia*).

Le troscart maritime (*triglochin maritimum*).

Le cirse des prés (*cnicus pratensis*).

L'inule (*inula*).

La renoncule langue (*ranunculus lingua*).

Les myosotis (*myosotis*).

La canche en gazon (*aira cespitosa*).

La houlque laineuse (*holcus lanatus*).

Les épilobes (*epilobium*).

Les sols marécageux où croissent les plantes suivantes valent encore moins :

Les potentilles (*potentilla*).
La tormentille (*tormentilla*).
L'épipactis (*epipactis*).
L'orchis à long éperon (*orchis conopsea*).
Le caret en gazon (*carex cæspitosa*).
Le caret dioïque (*carex dioïca*).
Le comaret des marais (*comarum palustre*).
La menthe (*mentha*).
La primevère farineuse (*primula farinosa*).
La grassette (*pinguicula*).
La monilie bleue (*molinia cærulea*).
La saxifrage des chèvres (*saxifraga hirculus*).

Les sols marécageux dans lesquels abondent des particules calcaires se reconnaissent à la croissance du :

Saule à feuilles de romarin (*salix rosmarinifolia*).
Bouleau blanc (*betula alba*), etc.

Les sols marécageux où croissent les végétaux suivants sont les plus mauvais :

Les joncs (*juncus*).
Le lédon des marais (*ledum palustre*).
La camarine à fruits noirs (*empetrum nigrum*).
La bruyère commune (*calluna vulgaris*).
La bruyère quaternée (*erica tetralix*).
Les ériophores (*eriophorum*).
L'airelle canneberge (*vaccinium oxycoccos*).
L'andromède à feuilles de polium (*andromeda polifolia*).
Le piment royal (*myrica gale*).
Le bouleau pubescent (*betula pubescens*).
Le bouleau à fruits (*betula fructicosa*).
Les sphaignes (*sphagnum*).

Tout sol marécageux peut être amélioré par un bon système d'égouttement [1]. Plus ce drainage sera

[1] Voir le chapitre suivant pour l'explication des mots synonymes *drainage*, *égouttement*, *assainissement* d'un sol.

antérieur à la création du pré, et plus aussi ce dernier aura de chances de réussite : les terrains tourbeux ne peuvent être trop desséchés.

Le drainage des simples marécages est généralement facile à effectuer, mais la chose est différente lorsqu'on a affaire à des tourbières, car dans ce cas il est nécessaire de pénétrer toute la couche de tourbe afin d'établir convenablement la saignée.

La capillarité (force qui fait monter des fluides dans des tubes ou entre des interstices extrêmement étroits) est très-développée dans certaines tourbières [1]; l'eau du sous-sol monte souvent à une hauteur de trois à quatre mètres à travers la tourbe par cette seule influence. Le sol forme alors une véritable éponge.

On conçoit par là que les fossés d'écoulement les plus profonds sont souvent insuffisants, et qu'il est des cas où la couche de tourbe tout entière doit être enlevée si l'on tient à y créer des prairies.

Ces sols peuvent à la longue être améliorés par des arrosements d'eaux limoneuses ainsi que par des amendements argileux.

Les simples prés marécageux sont beaucoup plus profitables que les prés tourbeux; avec moins de frais on en peut retirer des bénéfices beaucoup plus élevés; ces prés marécageux nécessitent des arrosements faits largement, mais à des intervalles éloignés; pendant les chaleurs de l'été, une nuit sur huit leur suffit.

Les terrains marécageux, formés de débris organiques, sont généralement pauvres en particules minérales d'origine inorganique. On y rencontre cependant du carbonate de fer, du phosphate de fer, de la

[1] Les tourbières formées de mousses et de sphaignes.

limonite et du carbonate de chaux; ces substances, en se précipitant au fond de l'eau, forment souvent des bancs puissants, comme cela s'observe surtout dans la Campine pour la limonite.

Ce fer [1] et ce calcaire proviennent ordinairement des lieux plus élevés qui avoisinent les marais: c'est l'eau des pluies qui les entraîne.

Les sols tourbeux sont sujets à se soulever par suite des fortes gelées, de façon à laisser des cavités vides assez étendues à la base des racines des plantes de prairies; cet accident amène la perte de ces dernières, si l'on n'effectue au printemps des arrosements abondants afin de tasser le terrain, de raffermir les racines et d'activer la végétation.

Inutile de dire que les meilleurs sols marécageux ne produisent jamais des récoltes aussi abondantes que des sols sablonneux ou limoneux [2].

CHAPITRE III.

DU DESSÉCHEMENT DES TERRAINS HUMIDES (DRAINAGE).

De la nécessité de construire des fossés ou canaux pour l'écoulement des eaux dans les terrains marécageux.

Plus un sol est sec et chaud, plus il est propre à

[1] Les dépôts de fer de la Campine sont dus à l'infiltration des pluies à travers les sables ferrugineux des montagnes voisines, lesquelles sont formées du terrain ferrugineux diestien, du professeur Dumont; ce fer, rencontrant un banc de marne impénétrable, se dépose en strates épaisses et celluleuses.

[2] Il n'est pas inutile de faire remarquer, néanmoins, qu'un *sol marécageux de bonne nature*, bien assaini et bien traité, produit beaucoup et d'une manière plus permanente qu'un sol purement *sabloneux*.

l'irrigation; plus au contraire il est humide et froid, et moins il se prête avantageusement à cette opération.

Un terrain humide ne peut jamais être trop découpé par des saignées ou fossés d'écoulement, dont l'unique but est de faire écouler toutes les eaux qui croupissent soit à la superficie, soit à une légère profondeur sous le sol, et qui pourraient influer défavorablement sur la croissance des herbages.

Quelques auteurs disent qu'un sol naturellement humide demande plus d'eau pendant les arrosements qu'un même espace d'un terrain sec, et cela pour le motif suivant : Un sol humide est toujours froid, ce froid nuit à la végétation; une bonne partie de l'eau d'irrigation ne sert qu'à neutraliser cette action malfaisante; elle peut donc être considérée comme perdue. La plupart des terres marécageuses sont faciles à dessécher; les sols sablonneux froids le sont infiniment moins, par suite de la difficulté qu'oppose leur nature mécanique au creusement de galeries d'écoulement : ces dernières s'éboulent à mesure qu'on y travaille. Les tourbières ne sont exploitables qu'après un assainissement presque complet. On doit souvent y amener de la terre pour y créer un sol cultivable.

Le drainage au moyen de fossés couverts ou de tuyaux souterrains, système excellent pour les champs, ne peut être recommandé pour les prés irrigués; la pente dont on dispose est généralement trop faible pour tenir ces galeries vides, condition indispensable de leur durée; en outre, l'irruption des eaux dans ces tuyaux est irrégulière, circonstance nuisible aux prés irrigués.

Des causes de l'excès d'humidité dans le sol.

L'excès d'humidité dans le sol est dû à l'une des quatre causes suivantes :

1° A la disposition d'un terrain en forme de bassin dont les bords relevés retiennent l'eau;

2° A des écoulements provenant de terrains plus élevés ou à des débordements de cours d'eau;

3° A des sources souterraines étendues, dépendant ordinairement de la nature du sous-sol, qui, dans ce cas, forme des couches imperméables à l'eau;

4° A des sources vives qui viennent jaillir çà et là à la surface du sol.

Avant de commencer des travaux d'assainissement, il est indispensable de s'assurer à laquelle de ces quatre catégories appartient le terrain que l'on se propose de cultiver.

Passons sommairement en revue les méthodes d'écoulement que l'on peut suivre selon ces divers cas.

De l'écoulement des eaux retenues par des terrains en forme de bassin.

Les marais, lacs, étangs, etc., entourés de collines plus ou moins hautes, et dont le sol imperméable retient l'eau, ne peuvent être desséchés qu'au *moyen* de profondes tranchées qui traversent les collines de part en part, ou de machines.

Avant d'entreprendre de pareilles opérations, il est indispensable de faire bien ses devis, de procéder avec grand soin aux nivellements et de consulter d'habiles ingénieurs.

De l'écoulement des eaux provenant de terrains élevés ou de débordements de cours d'eau.

Quand l'eau qui s'écoule d'un lieu élevé inonde des plaines basses, le seul préservatif, est de creuser un canal de contenance proportionnelle à la masse d'eau à recevoir, et qui doit être construit à la limite supérieure de la prairie basse. L'eau vient s'y verser, et s'écoule d'elle-même par suite de la pente que l'on a soin de donner à cette galerie, ou bien elle s'en va par des conduits particuliers qui viennent aboutir à ce canal, qui peut alors être creusé horizontalement.

Lorsque des ruisseaux ou des rivières, par leur débordement fréquent, sont la cause de marécages, on doit tâcher de prévenir les inondations par tous les moyens possibles. Ces débordements ne sont dus qu'à deux causes directes : ils dépendent ou d'un manque de profondeur, ou d'un manque de pente dans le lit du cours d'eau.

Les circonstances locales indiquent s'il est préférable d'approfondir le canal ou d'augmenter la pente en modifiant le cours et les sinuosités du courant.

Le premier de ces moyens est en général difficile et dispendieux; le second l'est communément moins. Souvent même un simple curage du fond et des bords suffit pour prévenir les débordements.

La rectification du cours d'une rivière nécessite toujours de la prudence. Le *comblage* de l'ancien lit après le détournement des eaux coûte cher, mais c'est de l'argent bien placé.

Quelquefois les voisins riverains s'opposent à des travaux de rectification d'un cours d'eau; dans ce cas, voici comment il faut procéder.

Soit AB (fig. 1) une rivière dans une vallée cultivée et presque dénuée de pente; cette rivière par ses inondations rend marécageux tout le terrain qui longe ses bords; on doit construire un grand fossé à fond incliné de C en D à une certaine distance des bords de la rivière et suivant la direction moyenne de ses sinuosités; ce fossé doit aboutir au delà du lieu habituellement inondé, et sa profondeur doit être en rapport avec la masse d'eau à faire écouler.

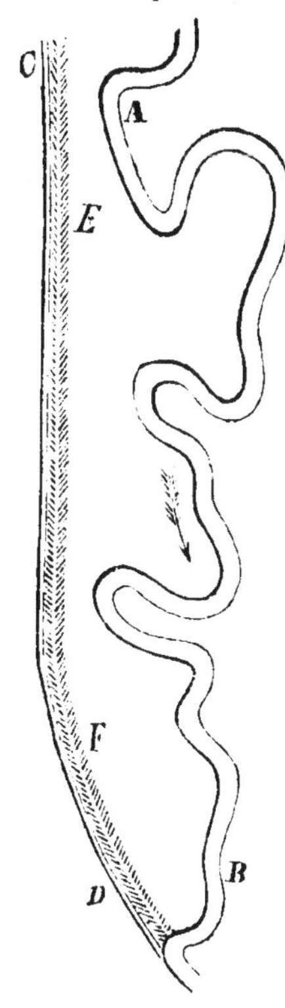

Fig. 1.

S'il est nécessaire de faire passer ce canal d'assainissement sur l'héritage voisin, et que le propriétaire de ce dernier y oppose de la résistance, on peut souvent le contraindre à supporter cette servitude pour cause d'utilité publique.

Dans le cas où l'on désirerait retenir entièrement les eaux, il serait indispensable de construire une digue EF longeant le fossé à son côté interne et faisant face à la rivière; les matériaux de cette digue peuvent en grande partie provenir du creusement du fossé adjacent.

Les travaux d'endiguement ne devraient jamais s'entreprendre sans les conseils d'un ingénieur, car pendant les fortes crues d'eau, ils pourraient être enlevés, et leur destruction causerait de grands désastres sur les propriétés voisines.

De l'écoulement des eaux souterraines.

Les prés bas sont souvent rendus trop humides par suite de nappes d'eau qui existent au-dessous de la surface du sol. C'est en creusant une tranchée qu'on se débarrasse de cette eau.

Les dimensions de la tranchée doivent être déduites de la profondeur où se trouve la couche aqueuse au-dessous de la surface du terrain, car elle doit pénétrer jusqu'à ce point.

La couche perméable est en général un banc de sable, lequel se trouve soit immédiatement sous le sol, soit enfoui au-dessous d'une couche de nature différente.

La tranchée doit être creusée à une profondeur d'environ $0^{m}.60$ dans l'épaisseur même de la couche perméable afin d'assurer l'assainissement du pré; plus elle sera profonde, et plus aussi le desséchement sera complet.

Il est indispensable de faire de nombreux sondages avec une petite sonde à la main, afin de reconnaître les profondeurs relatives auxquelles se rencontre la couche dans laquelle coule l'eau : d'après les données ainsi obtenues, le nivellement du fossé de décharge sera facile à établir.

Cette tranchée n'est que rarement creusée en ligne droite, car elle doit nécessairement suivre les directions générales des principales baissières du sous-sol.

Si la tranchée est horizontale dans son fond, il est nécessaire d'établir des canaux latéraux pour l'écoulement des eaux. La même chose a lieu si le fond de la tranchée est inégal; dans ce cas, une galerie latérale doit être creusée au bas de chaque pente. La pente à donner à ces saignées est de 3 à 5 millimètres par mètre.

De l'écoulement des eaux provenant de sources superficielles.

La présence sur les bords ou dans le milieu d'un marécage de monticules qui ne dépendent pas de la nature inégale du sol est l'indice de sources superficielles.

Ces monticules varient en hauteur et en humidité selon l'abondance de l'eau; leur sommet est plus humide que leur pente, et présente généralement une mare bouillonnante d'eau trouble, qui s'écoule en minces filets.

Une section fait aisément comprendre la structure de ces monticules; on y voit une série de couches annuelles superposées; chacune d'elles doit son origine soit aux débris organiques de la végétation de l'année, soit aux dépôts mécaniques amenés par l'eau. Ces couches s'étendent de plus en plus loin sur la surface du pré à mesure que le monticule gagne de l'élévation; les couches sont d'autant plus épaisses que l'année a été plus humide.

Ceci se voit bien dans la figure 2.

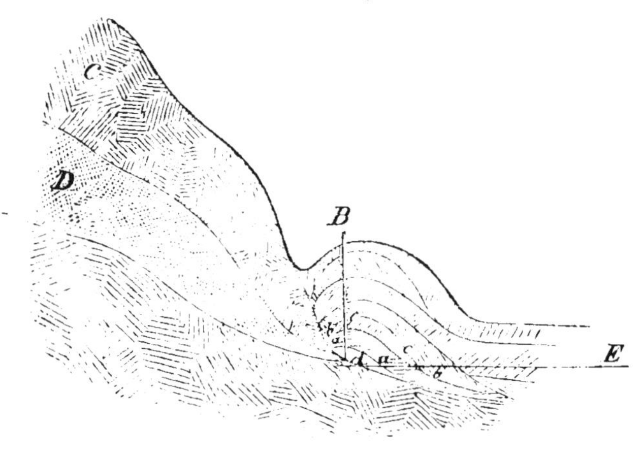

Fig. 2.

L'eau qui provient des couches C et D arrive au point A, et là prend une direction AB, pour arriver à la surface ; les couches successives *aa*, *bb*, *cc*, se sont formées annuellement.

Lorsque l'eau de source est riche en bicarbonate de chaux, une partie du gaz acide carbonique que renferme ce dernier se dégage, et il se précipite alors du tuf calcaire ou de la marne. Lorsque l'eau est fort maigre, il ne croît aux abords de la source que des mousses, des sphaignes, des joncs, etc.

Pour faire disparaître l'eau qui rend le sol marécageux, il est nécessaire de pratiquer un fossé jusqu'au point A; ce fossé se creuse depuis la partie la plus basse voisine du monticule, et doit augmenter en largeur et en profondeur à mesure qu'on approche du centre de ce dernier. — Quand on présume être près de la source, on procède avec précaution. Cette tranchée ne doit être ouverte que par petites portions de quelques décimètres, afin d'éviter que des sables mouvants ne comblent les travaux.

De l'assainissement par des puits absorbants ou boit-tout.

Ce moyen ne peut s'employer que lorsque le sous-sol imperméable qui arrête les eaux n'a pas une trop grande épaisseur, et quand au-dessous de lui se rencontre un sol perméable en gravier, en sable, ou bien une roche caverneuse ou fendillée.

Le percement de ces puits s'exécute à la sonde, comme celui des puits artésiens pour les eaux ascendantes. Pour empêcher que les vases, les sables et les ordures de l'eau ne bouchent les fissures ou les interstices de la couche perméable qui doit leur livrer passage, il est nécessaire de former autour du sommet du tube, placé dans le trou d'absorption, un puits d'un mètre et demi à deux mètres de profondeur en contre-bas du sol ou de la surface du réservoir des eaux, comme on le voit à la figure 3.

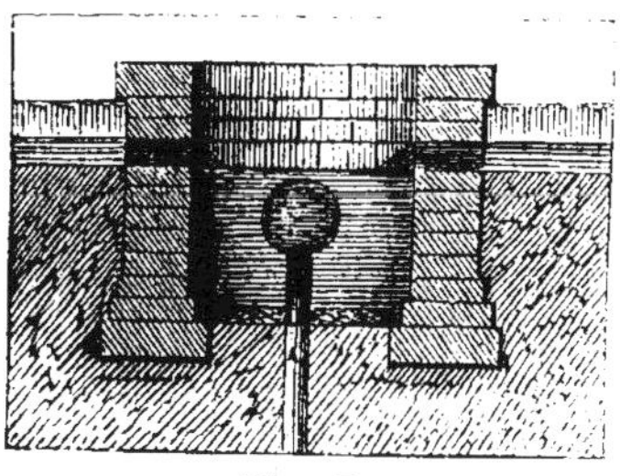

Fig. 3.

Le tube du forage A s'élève de 60 à 80 centimètres au-dessus du fond du puits, et sa tête est garnie d'une boule B, percée de trous, en forme de tête d'arrosoir. Il résulte de là qu'il n'entre dans le tube que de l'eau claire, tandis que les sables, les graviers, les feuilles mortes, etc., se déposent au fond du puits. On enlève ces substances par des curages périodiques.

Pour connaître la possibilité d'établir un puits absorbant, on commence par faire un simple sondage de petit diamètre, avec la sonde à la main, qui fait connaître l'épaisseur du banc imperméable et la nature du terrain sur lequel il repose.

Observation. Dans tous les travaux d'assainissement dont nous avons parlé, il importe de faire en sorte que les galeries d'écoulement des eaux ne forment pas obstacle à l'irrigation des prés, mais qu'elles puissent au contraire concourir au même but [1].

[1] Pour de plus amples détails sur le drainage, nous renvoyons le lecteur au traité spécial sur cette matière qui fait partie de la *Bibliothèque agricole*.

CHAPITRE IV.

DU NIVELLEMENT.

Nécessité des nivellements.

L'irrigation rationnelle d'un pré ne peut s'effectuer sans de nombreux nivellements, c'est-à-dire sans qu'on se soit assuré des différences de niveau que présente la surface du sol.

Plus le cultivateur aura le coup d'œil juste, et plus aussi cette opération lui sera facile. On ne doit cependant jamais se fier exclusivement aux sens pour ce genre d'appréciation, car on commettrait infailliblement de nombreuses et graves erreurs, et l'on dépenserait beaucoup d'argent inutile tout en se voyant souvent forcé de défaire ce qu'on aurait précédemment construit.

L'application du nivellement à la construction des fossés est l'une des conditions les plus essentielles de la bonne réussite de la culture d'un pré irrigué.

Des instruments de nivellement.

Ces instruments sont : 1° le niveau; 2° la mire, les jalons et les voyants ; 3° l'eau ; 4° l'aplomb ; 5° les chaînes et le mètre gradué ; 6° l'équerre et les cordeaux.

Le niveau.

Nous ne nous occuperons que du niveau d'eau qui suffit parfaitement pour toutes les opérations que des cultivateurs peuvent avoir à effectuer.

C'est un tuyau rond en fer-blanc, long d'environ un mètre; il est recourbé par les deux bouts à angle droit pour recevoir deux tubes ouverts en verre, qu'on y adapte au moyen de cire ou de mastic. Une virole, placée à la partie inférieure, le fixe sur un pied. On verse de l'eau dans cet appareil, jusqu'à ce qu'elle s'élève à environ la moitié de la hauteur des deux tubes de verre. Voir la figure 4.

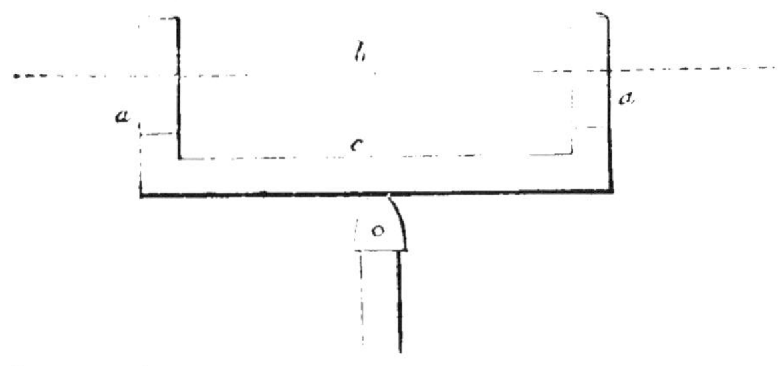

Fig. 4. *a. a* tubes en verre, *c.* tuyau métallique, *b.* niveau de l'eau.

L'eau se place sur le même plan horizontal dans les deux branches de ce niveau. Il faut de l'habitude et de bons yeux pour employer ce niveau sans commettre d'erreurs. C'est le moins dispendieux de tous les niveaux. Il est bon de placer des bouchons percés d'un petit orifice à chaque extrémité des branches, afin d'éviter l'écoulement de l'eau et d'empêcher l'action du vent.

La mire, les jalons, les voyants.

La construction de la mire se comprend par la simple inspection de la fig. 5.

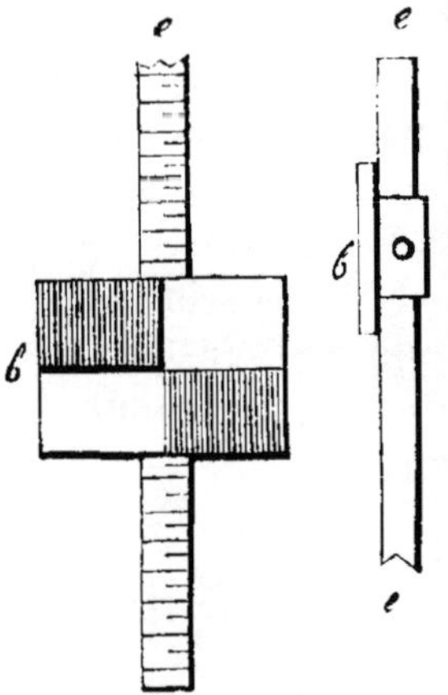

Fig. 5.

C'est une latte longue de 2 à 3 mètres, graduée en centimètres et en millimètres, et munie d'une planchette mobile divisée en quatre parties égales, dont deux sont alternativement noires, et deux blanches, et qui s'adapte à la latte par une vis à pression.

Dans cette figure, *ee* représente la latte, *b* la planchette mobile de la mire.

Les jalons sont de petits piquets en bois de différentes hauteurs, dont le bout inférieur est taillé en pointe, et dont l'extrémité supérieure est fendue pour recevoir un carré de papier blanc ou de carton.

Les voyants, au nombre de trois, sont des piquets hauts de $1^{m},20$ à $1^{m},50$, et garnis à la partie supérieure d'une planchette longue de $0^{m},24$ à $0^{m},30$, et large de $0^{m},02$ à $0^{m},03$, divisée en quatre parties dont deux noires et deux blanches. Voir la fig. 6.

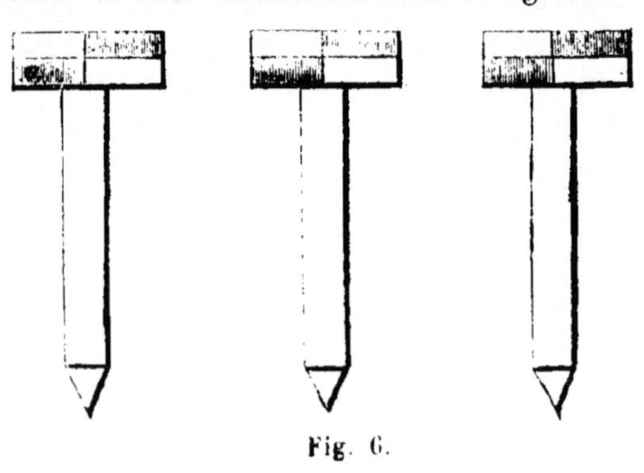
Fig. 6.

L'eau comme niveau.

L'eau elle-même peut également servir comme instrument propre au nivellement, et même elle a l'avantage sur les niveaux artificiels, avec lesquels il est fort difficile d'éviter les erreurs. Nous y reviendrons en traitant de la pratique des irrigations.

La chaîne et le mètre.

La chaîne d'arpenteur et le mètre servent à mesurer les longueurs sur le terrain. Leur usage est tellement simple qu'il ne nécessite aucun détail.

L'aplomb.

Pour les petits nivellements, on se sert d'un instrument fort simple. C'est une latte surmontée d'un aplomb (fig. 7), tel que l'emploient les maçons. Pour

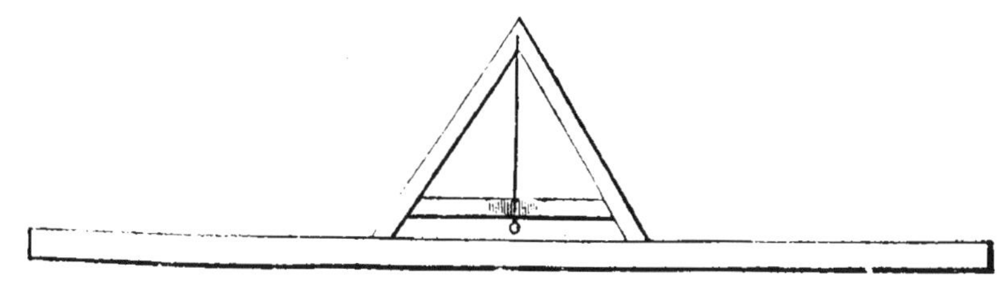

Fig. 7.

que la latte, exposée presque constamment à l'humidité, soit moins sujette à se déjeter, on la fait de deux lattes parfaitement rabotées, et que l'on fixe solidement l'une à l'autre par des chevilles ou des boulons noyés dans le bois, de manière que les deux bouts n'en fassent qu'un. Sa longueur ne doit pas dépasser 3 mètres.

On la fait en bois blanc pour qu'elle soit moins lourde. On doit vérifier fréquemment l'exactitude de cette latte. Pour viser plus aisément avec la latte on y fixe deux pinnules en tôle ou en cuivre. Nous reviendrons à son usage.

Du nivellement pratique.

Par niveler, on entend l'opération au moyen de laquelle on tire d'un point donné une ligne horizontale que l'on marque avec des jalons ou piquets, ou bien on détermine la mesure de l'inclinaison, formée par la ligne d'un terrain avec la ligne horizontale; en d'autres termes, on mesure la pente d'un terrain; ou bien enfin on détermine, sur un terrain, les points par lesquels passera une ligne dont l'inclinaison est donnée.

Si l'on veut tirer une ligne horizontale d'un point donné a (fig. 8) à un autre point x, on place le ni-

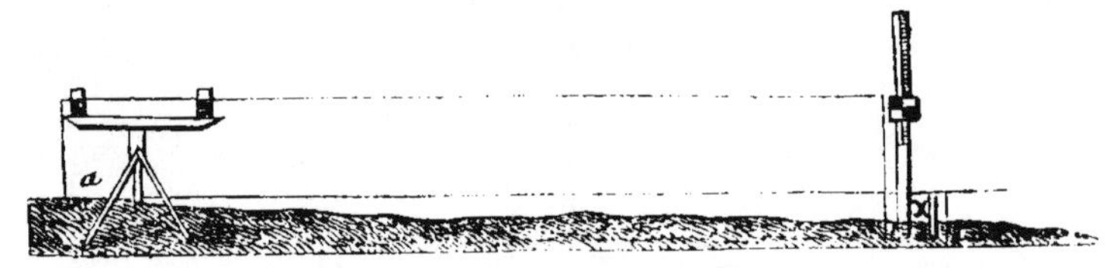

Fig. 8.

veau en a de manière à pouvoir viser commodément en x. Un aide se rend au point x avec la mire, et là, d'après les signaux de celui qui vise, il l'élève ou l'abaisse, jusqu'à ce qu'elle soit exactement à la hauteur indiquée par l'eau dans les deux verres de l'instrument. On compare alors la hauteur du sol au niveau de l'eau dans l'instrument à la hauteur du sol à la mire, et la différence en plus ou en moins indique de combien le point x est plus haut ou plus bas que le point a.

Si, par exemple, la hauteur de l'eau du niveau au-dessus du sol est de $1^m.20$, et que la hauteur de la mire soit de $1^m.40$, il s'ensuit que le point x est de $0^m.20$ plus bas que le point a, et que la tête du piquet placé en x, et qui indique la ligne horizontale avec a, doit être élevée de $0^m.20$ au-dessus de la surface du sol. Il est entendu que le point a est au niveau du sol. Si, au contraire, la mire n'indique qu'une hauteur de 1 mètre, il en résulte que le point x est de $0^m.20$ plus élevé que a, et le piquet qui indique la ligne horizontale devra être enfoncé en terre de $0^m.20$.

Si, sur un terrain naturellement incliné, la ligne qu'on doit déterminer a une grande longueur, il est bon de prendre un ou deux points intermédiaires.

Si l'on veut donner à une ligne une pente déterminée; si, par exemple, la ligne de a à x doit avoir $0^m.30$ de pente, on procède de la manière suivante.

On fixe la mire au jalon qui la porte à une hauteur de $1^m.20 + 0^m.30 = 1^m.50$ (on se rappellera que le niveau d'eau indique une hauteur de $1^m.10$ au-dessus du sol). L'aide se rend alors au point x, et celui qui vise du point a cherche la hauteur à laquelle doit être placée la mire.

Si le point x est trop élevé, il faut creuser la terre; s'il est trop bas, on enfonce un piquet sur lequel on place le jalon, et on enfonce ce piquet jusqu'à ce que la planchette se trouve à la ligne horizontale indiquée par le niveau d'eau.

Si sur un sol incliné on veut trouver un point qui ait, par rapport au point a, la pente demandée, l'aide qui porte la planchette l'avance ou la recule, d'après les signaux de celui qui vise, jusqu'à ce qu'il ait trouvé ce point.

Si la pente de *a* en *x* est trop considérable pour que la hauteur du jalon puisse la mesurer, on divise la longueur en autant de parties qu'il est nécessaire pour les mesurer chacune séparément.

Pour viser avec l'aplomb, on enfonce à la hauteur de la ligne demandée deux piquets, sur lesquels reposent les deux extrémités de la latte, et qui doivent donner la ligne parfaitement horizontale. L'exactitude rigoureuse étant ici d'une grande importance, il faut se donner la peine de retourner plusieurs fois la latte pour bien s'assurer que les piquets sont parfaitement de niveau. On peut alors viser, ou par les deux points fixés à la latte, ou en mettant de côté la latte et visant par-dessus la tête des piquets.

On procède, du reste, de la même manière que si on se servait du niveau d'eau. Mais ce dernier instrument tournant sur un pivot, on peut avec lui viser dans toutes les directions. On n'a pas cette facilité avec la latte à plomb, et il faut enfoncer un nouveau piquet chaque fois qu'on veut viser dans une nouvelle direction, ce qui occasionne une perte de temps et exige une grande patience. On peut, par un moyen facile, simplifier le travail. Au lieu de deux piquets, on en enfonce trois, A, B, C, qui forment ensemble un angle aigu en forme de V. Au moyen de l'aplomb, on enfonce ces trois piquets exactement à la même hauteur. Quand on a la certitude qu'ils sont bien de niveau, on prend un fil aux extrémités duquel on attache deux petites pierres, et on le tend par-dessus les piquets B et C, le piquet A étant celui d'où l'on vise. De cette manière, on peut, du point A, viser par-dessus le fil, sur toute la longueur, et sans qu'il soit besoin d'enfoncer un piquet pour chaque direction.

On peut se passer même d'aplomb, si l'on a sur place de l'eau à sa disposition. On creuse un petit fossé en forme de T et on le remplit d'eau. Aux trois extrémités on enfonce trois piquets, qui s'élèvent au-dessus de l'eau exactement à la même hauteur. Si l'opération est faite avec soin, et que les piquets soient suffisamment distants l'un de l'autre, on obtient ainsi le niveau. Quand, par l'un ou l'autre de ces moyens, on a fixé les deux points extrêmes de la ligne horizontale, on prend, au moyen de la planchette, des points intermédiaires assez rapprochés pour pouvoir tendre le cordeau de l'une à l'autre. Il est bon de placer d'avance des piquets à chacun de ces points, pour que, quand on vise, on n'ait plus qu'à les enfoncer à la profondeur voulue.

Pour déterminer la hauteur de ces piquets, trois planchettes sont nécessaires. Deux sont placées aux deux extrémités de la ligne, à la hauteur demandée. Avec la troisième, un aide va successivement d'un piquet à un autre, et celui qui vise lui indique du geste ou de la voix s'il doit élever ou enfoncer les piquets, jusqu'à ce qu'ils soient au point convenable, c'est-à-dire jusqu'à ce qu'ils soient tous à la même hauteur, et ne présentent qu'une ligne à celui qui regarde par-dessus leurs têtes.

Il arrive fréquemment que la ligne à tracer n'est pas droite. Le fil, tendu sur deux piquets horizontaux, comme nous venons de l'indiquer tout à l'heure, peut, dans ce cas, beaucoup simplifier le travail. On peut alors viser par-dessus le fil, selon qu'il sera nécessaire, à droite ou à gauche de la ligne droite, sur chacun des points déterminés d'avance.

Malgré les précautions qu'on peut prendre, il arrive souvent que, pendant les travaux, les piquets sont dérangés. Il est bon d'apprendre aux ouvriers à les replacer à l'aide de la planchette.

En général, on doit de temps à autre vérifier

l'exactitude de ces piquets, attendu que la moindre négligence à cet égard peut entraîner de fâcheuses erreurs.

Une ligne étant une fois tracée en déterminant ses deux points extrêmes, on conçoit qu'il est facile de la prolonger autant qu'on veut au moyen de la planchette.

Nous croyons inutile d'indiquer la manière de mesurer avec la chaîne, de tracer une ligne au moyen de jalons, de faire usage de l'équerre, etc. Ces opérations sont si simples, qu'avec un peu de réflexion, ceux même qui ne les auront pas vu pratiquer pourront cependant les exécuter.

Si on a à prendre le niveau sur une longue ligne, dont la pente soit telle qu'on ne puisse la mesurer par une seule opération, on s'y prend de la manière suivante (fig. 9). Soit à niveler la ligne AB, ou plutôt

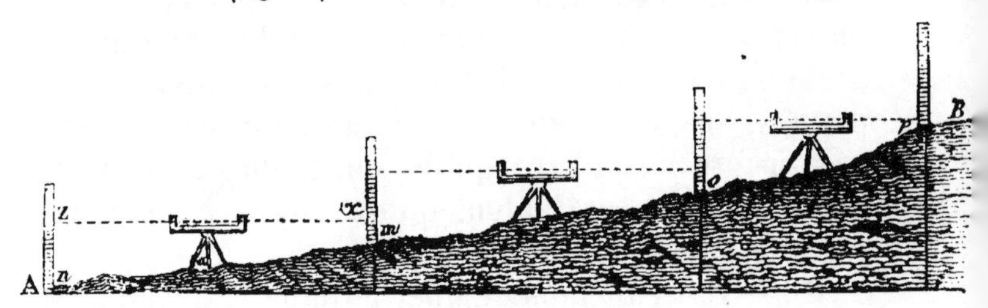

Fig. 9.

à chercher de combien *p* est plus élevé que le point *n*, le dernier étant beaucoup trop bas pour que de *n* on puisse, avec le niveau d'eau, viser jusqu'à *p*. Nous plaçons le niveau d'eau au point A, que nous choisissons de manière à pouvoir viser facilement en *n*. Nous prenons la hauteur de la planchette à ce point *n*. De là, l'aide se rend au point *m*, le niveau restant toujours à la même place, et nous y prenons également la hauteur de la planchette. Nous avons ainsi tiré une ligne horizontale *zx*, et la différence des deux hauteurs en *m* et en *n* nous indique exactement de combien le point *m* est plus élevé que le point *n*. Soit, par exemple, la hauteur en $n = 3^m.40$, et celle en $m = 0^m.50$, il en résulte que *m* est de $2^m.90$ plus élevé que *n*. Si alors nous mesurons la distance de *n* à *m* et que nous trouvions par exemple 58 mètres, il s'ensuit que la ligne a cinq pour cent de pente (58 : 290 = 100 : 5).

On mesure de la même manière les autres fractions *mo* et *op* de la ligne AB, et la somme des trois opérations donne la différence de hauteur qui existe entre *p* et *n*.

CHAPITRE V.

Des instruments nécessaires à l'irrigateur de prés.

1° *Les bêches.*

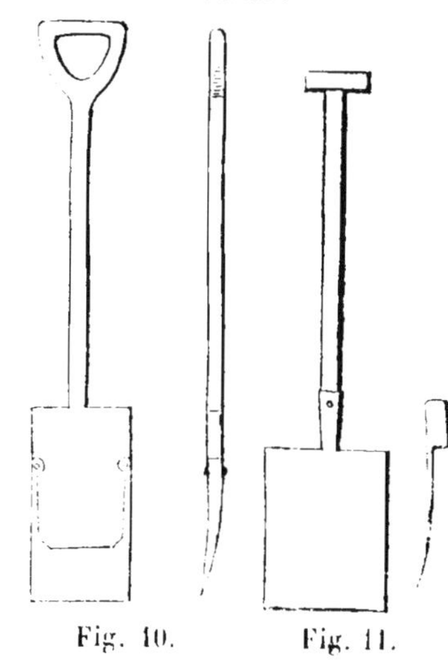

Fig. 10. Fig. 11.

Les bêches employées généralement sont celles indiquées fig. 10 et 11. La première, fig. 10, est une bêche en bois garnie inférieurement de fer aciéré. On l'emploie surtout dans les sols qui renferment des racines. Sa longueur est d'environ $0^m.30$ sur $0^m.15$ de largeur.

La figure 11 représente la bêche ordinaire ou flamande; elle est entièrement construite en fer, et trop bien connue dans notre pays pour nécessiter une description.

2° *Les pelles.*

La pelle, fig. 12, est un instrument très-utile; elle est faite d'une planchette mince en hêtre, garnie inférieurement de fer aciéré et munie d'un manche oblique; elle sert à rejeter à la surface du sol la terre détachée des fossés. Sa longueur est de 0m.30, sa largeur de 0m.24 à 0m.30.

La figure 13 nous montre une pelle de terrassement qui est d'un bon emploi tant pour creuser que pour vider les canaux et fossés. Sa longueur est de 0m.30, sa largeur de 0m.18. Elle est entièrement construite en fer.

3° *Les haches à gazon ou croissants.*

Ces haches servent à couper les gazons et à égaliser les bords des fossés; on les construit d'après deux

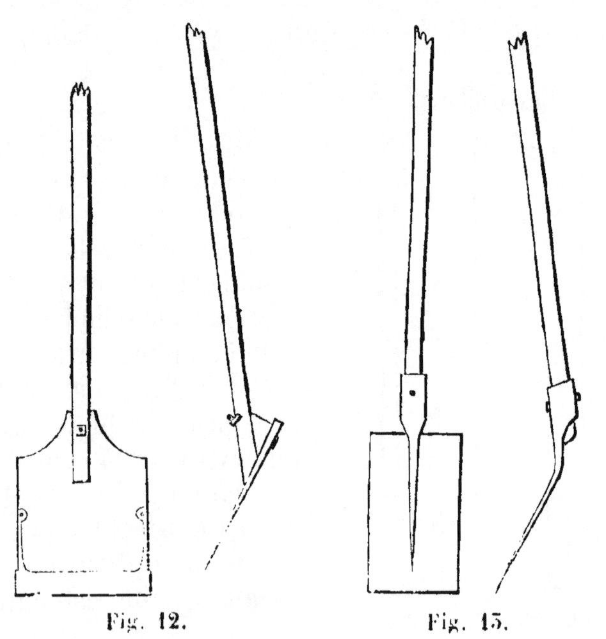

Fig. 12. Fig. 13.

modèles différents, comme l'indiquent les fig. 14 et 15.

La figure 14 est une hache longue de 0^{m}.40 ; elle est bonne dans les terrains compactes ou pleins de racines. La figure 15 est une hache ou plutôt un grand couteau long de 0^{m}.40 et large de 0^{m}.08 à 0^{m}.10 en bon fer aciéré. Elle sert aux mêmes usages que la précédente et lui paraît préférable.

La fig. 16 représente une pioche jointe à un croissant, le tout ne formant qu'un seul instrument.

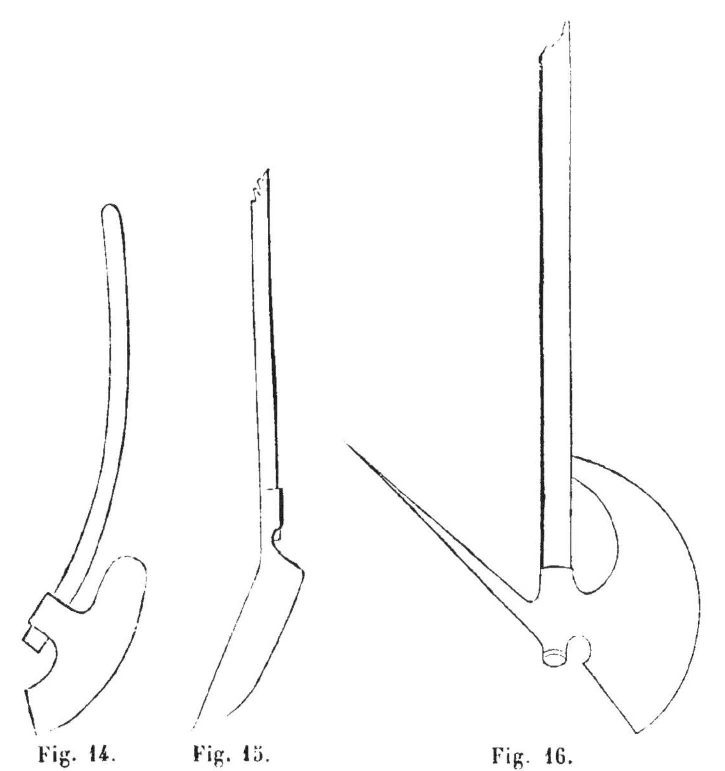

Fig. 14. Fig. 15. Fig. 16.

4° Instruments de transport.

On se sert ordinairement, pour transporter les terres, de la brouette ordinaire à bords hauts d'environ 0^{m}.30. Lorsqu'on transporte des terres sur des planches en bois couchées sur terre, il est bon de saupoudrer ces dernières avec du sable afin d'empêcher que les roues des brouettes ne s'en écartent par le glissement, accident qui pourrait endommager les ados.

On emploie quelquefois la pelle à cheval pour le même usage. Cette pelle, fig. 17, est munie à sa partie antérieure, de *a* en *b*, d'une lame de fer tranchante. On la fait entrer en terre en soulevant les mancherons, et lorsqu'elle est suffisamment remplie, on appuie sur ces mêmes parties. On la vide en la renversant d'arrière en avant.

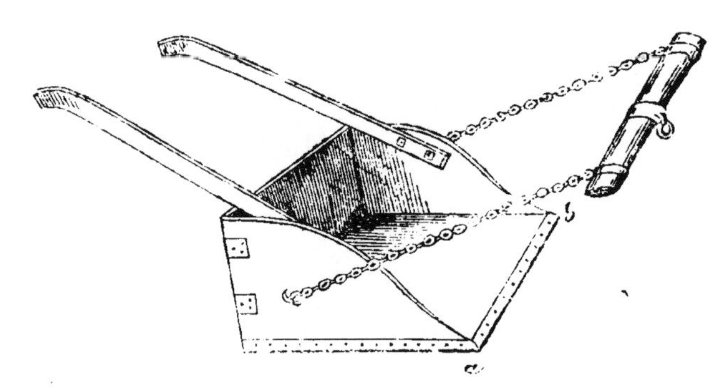

Fig. 17.

5° *Les houes.*

Les houes servent à enlever les gazons ; on se sert de celles indiquées fig. 18 et 19. La houe à cheval s'emploie quelquefois aussi.

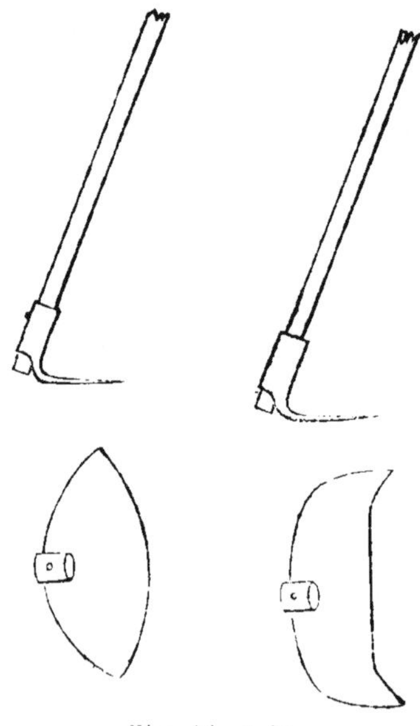

Fig. 18 et 19.

La figure 20 représente une houe longue de $8^m.30$ et large de $0^m.13$ à $0^m.16$. Elle est employée pour détacher les bandes de gazon qu'on a préalablement coupées au moyen du croissant.

6° *Le tranchoir.*

Cet instrument, qui sert à faire les dégazonnements, se compose, fig. 21, d'une lame circulaire de tôle

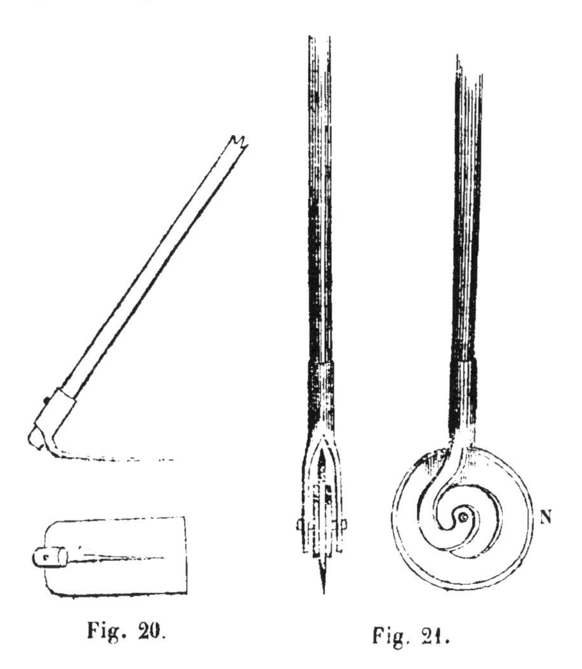

Fig. 20. Fig. 21.

d'acier, de 26 à 28 centimètres de diamètre et de 2 à 3 millimètres d'épaisseur. Le mieux est de prendre des lames de scies circulaires à dents fines ou sans dents, en amincissant le bord à la meule pour le rendre tranchant. On applique de chaque côté de la lame une plaque de fer ronde N, de 16 à 18 centimètres de diamètre, et de 1 1/2 centimètre d'épaisseur, pour fortifier la lame et pour l'empêcher d'entrer trop profondément, de manière que la saillie de la lame tranchante en dehors des plaques soit de 9 à 10 centimètres. On fixe ces plaques au moyen de trois petits boulons qui les traversent ainsi que la lame, sur laquelle elles sont ainsi fixées solidement; les deux plaques sont percées au centre de trous exactement de même diamètre que le trou de la lame tranchante; on emmanche cet instrument au moyen d'une chape à deux branches courbes réunies à une forte douille ouverte destinée à recevoir le manche en bois. Avec cet instrument on coupe très-facilement les gazons en longueur et en largeur.

7° *Instrument servant à ouvrir des rigoles continues.*

Le creusement des rigoles peut se faire au moyen d'une charrue particulière et qui convient fort bien dans de grandes exploitations. Elle procure une économie très-notable de temps et d'argent. Cette charrue (inventée par le professeur Bella de Grignon) est disposée comme les charrues ordinaires, sans avant-train ou araire, mais elle est plus légère. Son soc est en forme de bêche concave, avec une pointe aciérée; en avant de ce soc il y a deux coutres légèrement inclinés, placés des deux côtés de l'age au moyen de deux renforts fixés de chaque côté pour obtenir l'écartement nécessaire des deux coutres qui sont destinés à faire deux tranches parallèles dans le gazon de la prairie, suivant les deux bords de la rigole à ouvrir, afin de diminuer la résistance que le soc éprouve à pénétrer le sol. (Voir les figures 22, 23, 24, 25.)

Sur l'un des côtés latéraux de ce soc est établi un versoir en forte tôle N qui est destiné à faire ployer et à jeter de côté la bande de terre garnie de gazon que la charrue coupe et soulève. Pour remplir ce but, il faut que la lame du versoir soit à double courbure et passe de l'un des côtés du soc au côté opposé, en traversant au-dessus de l'age, immédiatement en arrière du soc. La figure 22 représente cette

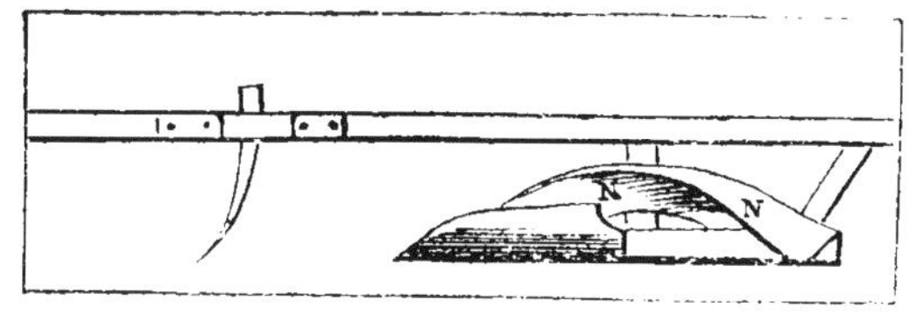

Fig. 22.

charrue vue de côté, et la figure 23 la représente en

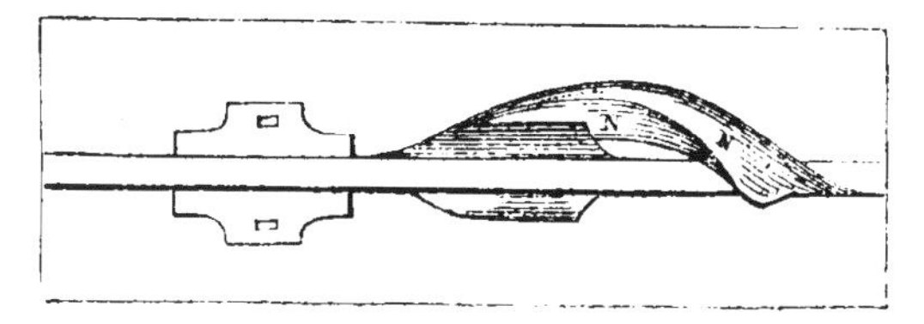

Fig. 23.

plan. Dans la figure 24 on a indiqué, à gauche, le soc et les coutres qui l'accompagnent vus de face, et à droite, le soc et son versoir également vus de face. Nous pensons que l'on pourrait éviter les deux coutres en faisant au soc deux oreilles élevées à tranchants obliques O, fig. 25, placées en avant de la lame

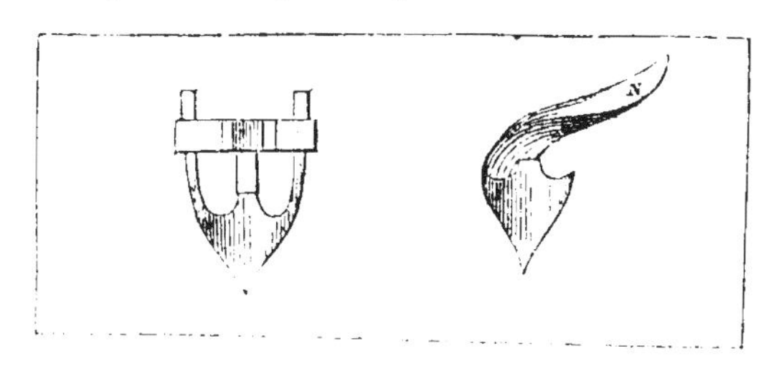

Fig. 24.

tranchante. Ce soc à oreilles est indiqué dans la figure 25; il est représenté à gauche de face, au milieu en plan, et à droite vu de côté. Il faudrait avoir deux ou trois de ces socs proportionnés aux largeurs et profondeurs des diverses rigoles [1].

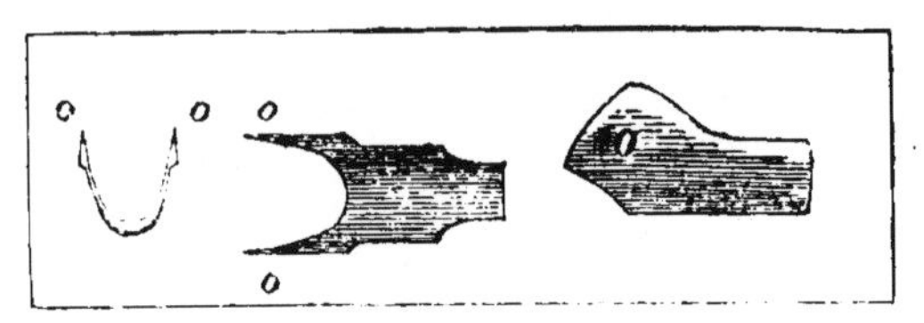

Fig. 25.

CHAPITRE VI.

DES RIGOLES ET DES FOSSÉS.

Classification des rigoles et fossés.

Les fossés et rigoles ayant reçu des noms particuliers, d'après leurs diverses destinations, nous en fournissons ici la classification.

1. FOSSES. Excavations ayant au moins soixante centimètres de largeur et trente de profondeur.

a. Fossés principaux. Ils sont inclinés et amènent l'eau aux fossés alimentaires. Ils comprennent le *canal principal* et les *canaux principaux proprement dits.*

b. Fossés alimentaires. Ils sont horizontaux et alimentent les rigoles,

c. Fossés de décharge. Ils servent au desséchement du sol et à l'écoulement de l'eau ayant servi à l'irrigation.

[1] Pour de plus amples renseignements sur les instruments, le lecteur fera bien de consulter le traité spécial sur les instruments agricoles qui fera partie de la *Bibliothèque rurale*.

2. RIGOLES. Excavations ayant moins de soixante centimètres de diamètre.

a. Rigoles principales. Leur fond incliné amène l'eau dans les rigoles alimentaires.

b. Rigoles alimentaires ou rigoles d'irrigation. Elles sont horizontales et répandent l'eau sur le pré là où les fossés alimentaires ne le font pas.

c. Rigoles de décharge. Elles recueillent l'eau ayant servi à l'irrigation pour la porter dans les fossés de décharge.

Nous passerons en revue chacun de ces genres de fossés et de rigoles.

Du canal principal conducteur ou canal de dérivation.

Il n'existe en général qu'un seul canal principal de dérivation pour chaque pré irrigué; son but est d'amener jusqu'au pré l'eau de la rivière ou du ruisseau qu'on a l'intention d'utiliser pour l'arrosement.

De la pente du canal principal.

La pente à donner au canal de dérivation n'est pas arbitraire : elle varie avec les circonstances locales et surtout avec la nature du sol. Une pente trop forte amène la détérioration des berges du canal si l'on ne fait usage de revêtements; de plus, elle diminue l'étendue du terrain à arroser, et les sables ou les graviers entraînés par l'eau, n'ayant pas le temps de se déposer, arrivent jusque sur le pré et lui sont nuisibles. On cherche en général à obtenir une vitesse de courant de $0^m.20$ à $0^m.40$ par seconde, selon la cohésion des terrains. Les auteurs disent que dans la plupart des circonstances une pente de 1^m sur 3,000 à $4,000^m$ est la plus avantageuse.

Dimensions du canal de dérivation.

Les dimensions du canal dépendent de la quantité d'eau nécessaire à l'irrigation du pré, et se calculent au moyen de deux données; ce sont le profil du canal et la vitesse de l'eau.

On peut calculer la quantité d'eau qui arrive au pré en multipliant la section de l'eau dans le canal par sa vitesse. Soit, par exemple, $0^{m}.30$ la largeur du canal au fond, $0^{m}.50$ la largeur à la superficie de l'eau, et $0^{m}.25$ la hauteur d'eau, la section sera

$$\frac{0,50 \times 0,30 \times 0,25}{2} = 0,40 \times 0,25 = 0,10$$

Si la vitesse de l'eau est de $0^{m}.30$ par seconde, le canal fournira par seconde $0^{m}.10 \times 0^{m}.30 = 0^{m}.030$, ou 30 litres d'eau.

La détermination mathématique de la vitesse que prend l'eau dans un canal d'une pente et d'une section données, demandant des calculs assez compliqués, nous conseillons de s'en assurer par l'expérience dans un canal analogue existant déjà.

Cette détermination expérimentale se fait au moyen d'un *flotteur*. On nomme *flotteur* un corps d'une densité un peu moindre que celle de l'eau qu'on abandonne à la libre impulsion de son courant. Tels sont de petits cubes ou des disques de bois ou de liége. Après avoir, par un temps calme, jeté à la surface de l'eau un de ces flotteurs, un peu en amont du point de départ, pour que l'uniformité de sa marche s'établisse, on compte, avec une montre à secondes, le temps qu'il emploie à parcourir une longueur déterminée, et on divise cette dernière par le nombre de secondes qu'a duré l'observation. L'eau coulant moins vite au fond et sur les bords qu'au-dessus et au milieu, la donnée fournie par le flotteur n'est qu'approximative, et, pour avoir des données réelles, on doit prendre une moyenne de la vitesse. Dans les cas ordinaires, cette vitesse moyenne est de 4/5 de la vitesse à la surface.

Il est bon que les rives du canal soient élevées de 0m.30 à 0m.80 au-dessus du plus haut niveau de l'eau, afin que, dans aucun cas, ses bords ne puissent être endommagés.

La profondeur du canal n'est pas indifférente; elle nous est fournie par la différence de niveau qui existe entre la surface supérieure de l'eau de ce canal principal et le fond inférieur du fossé alimentaire le plus bas. Il est souvent bon de le creuser même un peu plus profondément, surtout s'il a peu de pente, car sans cela l'eau stagnante, qui dépose toujours des matières étrangères, en rehausse le fond au bout de quelques mois. La section du canal principal doit présenter la forme d'un trapèze (voir les figures 26, 27, 28, 29). La pente des talus peut varier selon la na-

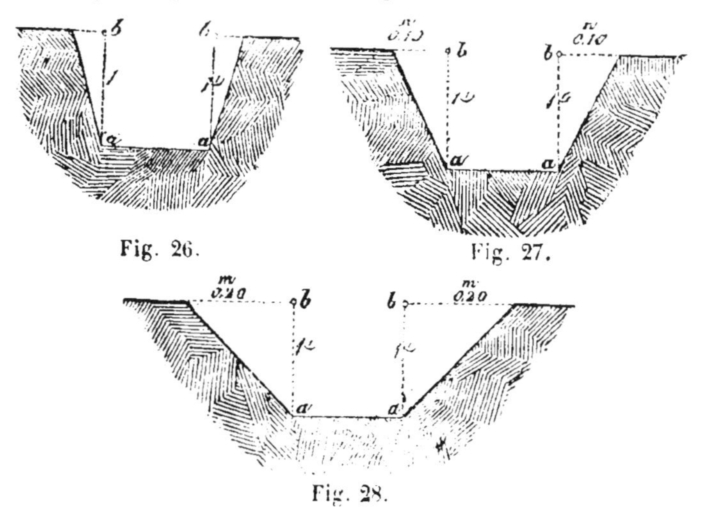

Fig. 26. Fig. 27.

Fig. 28.

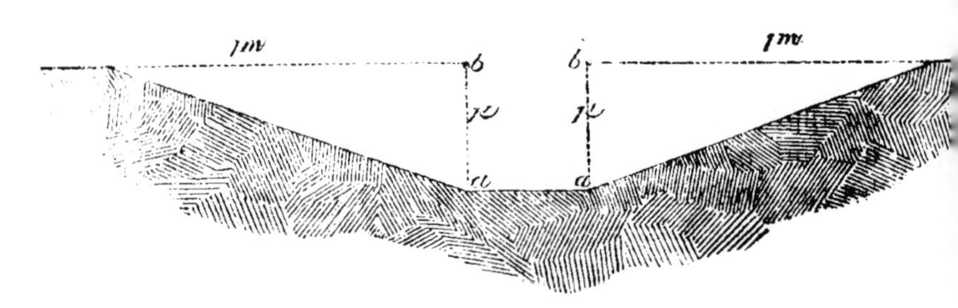

Fig. 29.

ture du terrain ; plus le sol est compacte et plus l'inclinaison à l'horizon peut en être augmentée, car les corrosions sont alors moins à craindre.

On dit que le talus est de $0^m.08$, de $0^m.10$, de $0^m.20$, de 1^m, selon qu'il s'éloigne supérieurement de cette quantité, de la perpendiculaire élevée du fond du canal, comme l'indiquent les figures ci-dessus. Ces conditions ne sont exactes que quand cette perpendiculaire est l'unité. Il vaut mieux désigner la pente en degrés, ou, comme on le fait plus habituellement, par son rapport avec la hauteur.

En général, dans un sol tourbeux les talus peuvent être plus inclinés que dans un sol limoneux, et dans celui-ci que dans un sol sablonneux.

Plus la quantité d'eau est considérable pour une section donnée, moins le courant est rapide, et plus les talus doivent avoir de pente. La pente moyenne est de 45 degrés. Pour calculer cette inclinaison des talus, la profondeur des fossés doit être préalablement déterminée. On prend alors cette profondeur deux fois, on y ajoute la largeur du fond du fossé, et on obtient ainsi la largeur du fossé à la partie supérieure.

Le fond du canal principal doit être élevé de $0^m,15$ à $0^m,30$ au-dessus du fond du ruisseau ou de la rivière qui lui fournit de l'eau; cela pour éviter qu'il ne charrie de la boue et du sable.

Creusement des fossés dans un terrain à surface inégale.

Si la surface du terrain est inégale, la largeur du fossé doit varier, afin que ses parois conservent la même inclinaison. Voici comment on doit procéder à sa construction :

Soit un fossé sur un sol inégal (fig. 30) d'une pro-

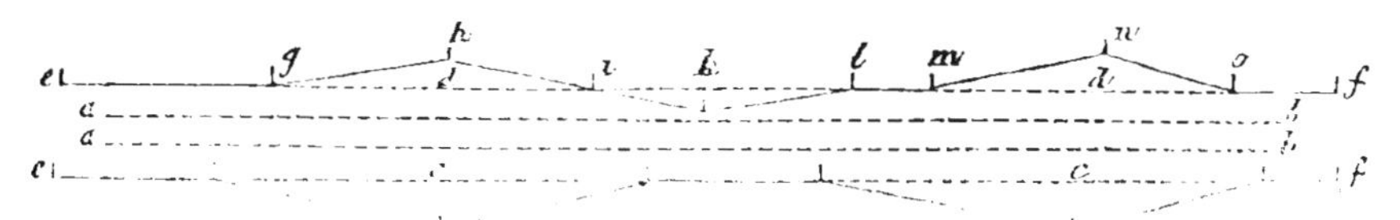

Fig. 30.

fondeur de $0^{m}.90$, large au fond de $0^{m}.60$ et dont les parois doivent être inclinées de 45 degrés. D'après ce que nous avons dit, on fait le calcul suivant : $2 \times 0^{m}.90 + 0^{m}.60 = 2^{m}.40$. La largeur normale du fossé sera donc de $2^{m}.40$ à sa partie supérieure. On creuse d'abord le fossé verticalement, en lui donnant en haut la même largeur qu'au fond. Dans les endroits où le terrain est uni, où par conséquent le fossé a $0^{m}.90$ de profondeur, il reste de chaque côté une largeur de $0^{m}.090$ pour l'inclinaison des parois. Si on tend le cordeau à cette distance du bord du fossé *a b* en ligne droite de *e* en *f*, et si l'on travaille selon la direction de ce cordeau, le fossé aura partout la même largeur, mais l'inclinaison des parois sera tout à fait irrégulière.

Pour prévenir ceci, on prend un piquet égal en longueur à la profondeur normale du fossé. Ce piquet à la main, on parcourt le fossé, mesurant d'espace en espace la hauteur de ses parois qui sont encore verticales. Là où la paroi est plus élevée, on recule d'autant le cordeau; là au contraire où elle est moins élevée, on le rapproche d'autant. L'examen de la fig 30 fera mieux comprendre ce que nous disons.

On laisse d'abord le cordeau tendu en ligne droite et on marque par de petits piquets les points où il doit être éloigné ou rapproché. On mesure ensuite et on trouve de *e* en *g* la hauteur normale; mais comme le sol commence à s'élever en *g*, on enfonce là un petit piquet contre le cordeau.

En *h*, le sol s'élève de 0m.16 au-dessus de la hauteur normale, on enfonce un autre petit piquet éloigné de 0m.16 du cordeau tendu en ligne droite.

En *j*, on retrouve la hauteur normale et on y enfonce un autre piquet.

En *k*, on trouve 0m.16 au-dessous de la hauteur normale, et on enfonce un piquet à 0m.16 du cordeau en dedans du côté du fossé.

En *l*, de nouveau hauteur normale et un piquet contre le cordeau.

En *m*, la hauteur normale cesse, ainsi un nouveau piquet.

En *n*, on trouve 0m.16 de plus et on enfonce un piquet à 0m.16 au delà du cordeau.

En *o*, la hauteur s'est abaissée, et on marque encore ce point par un piquet contre le cordeau. De ce point, la hauteur normale continue jusqu'en *f*.

Cela fait, on accroche le cordeau à chaque piquet, tantôt en dedans, tantôt en dehors, et la ligne anguleuse *ef* se trouve tracée.

On marque cette ligne avec la bêche, et l'on porte le cordeau de l'autre côté du fossé pour y répéter la même opération.

Le travail étant ainsi préparé, les ouvriers peuvent facilement donner une inclinaison régulière aux parois de tout le fossé.

Plus les parois doivent avoir d'inclinaison avec l'horizontale, moins les piquets doivent être éloignés du cordeau primitif.

Lorsqu'un fossé doit être fort large ou que l'élargissement qu'il a dû subir par suite de l'inégalité du sol est considérable, il est presque indispensable de construire des banquettes ou terrasses sur le penchant du talus (fig. 31, K).

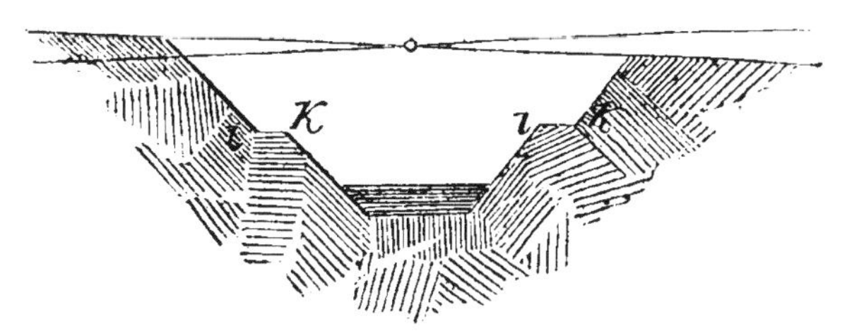

Fig. 31.

Pour un fossé de deux mètres de profondeur, la banquette peut avoir de 0m.30 à 0m.60 de largeur.

La pente du terrain peut être tellement disposée (comme l'indique la figure 32), que l'on se trouve dans

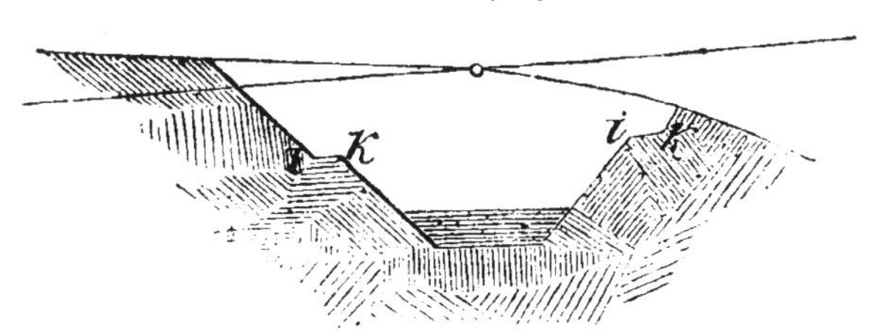

Fig. 32.

la nécessité de construire des digues ou de faire en sorte que les talus soient plus élevés d'un côté que de l'autre.

Du creusement de fossés dans un terrain sujet à s'ébauler.

Si le fossé doit passer dans un terrain boueux, sa construction n'est possible qu'après le desséchement du sol, et elle demande souvent un travail lent et fort pénible.

Si le terrain est un sable sujet à s'ébouler, il est indispensable de créer des moyens artificiels pour soutenir les bords. Ces moyens sont les bastions, les murs, les fascines, les clayons et le gazonnement.

1° *Les bastions* (fig. 33 et 34) consistent en pieux

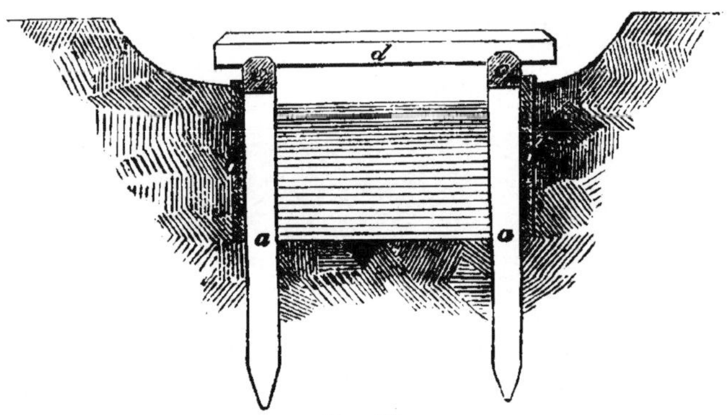

Fig. 33.

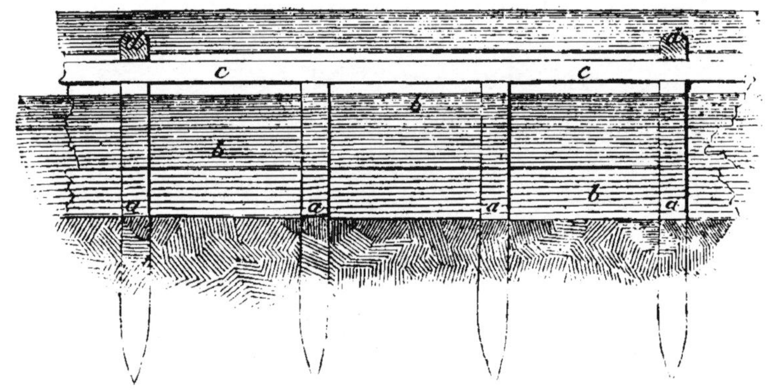

Fig. 34.

ou pilotis *aa* que l'on enfonce à une distance de 1 à 2 mètres, et en arrière desquels sont posés des bois de bastion *bbbb*, lesquels consistent en bois mi-plat ou en grosses planches.

Les pieux sont reliés ensemble par des travers *cc* qui se dirigent dans le sens du fossé. Afin d'éviter le renversement des bastions, l'on établit de distance en distance des traverses emboîtées passant d'un côté du fossé à l'autre *dd*.

Le plus grand inconvénient de ce genre de construction est son prix élevé; aussi préfère-t-on généralement l'un des moyens suivants.

2° *Les murs* sont construits avec des moellons et peuvent généralement être bâtis sans chaux, en se servant d'argile ou de mousses aquatiques pour retenir ensemble les pierres.

Les murs ne s'établissent avec avantage que là où les pierres sont abondantes.

3° *Les fascinages* (fig. 35) sont faits comme suit. A mesure qu'on approfondit le fossé, on y enfonce

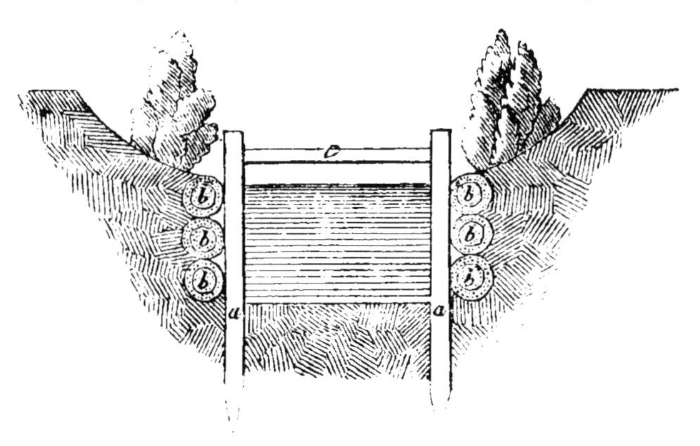

Fig. 35.

des pieux *aa* et on les relie entre eux par des traverses *c*. En arrière des pieux, on place les paquets de fascines *bbb*. Ces fascines n'ayant qu'une durée très-limitée, il est bon de planter au dehors quelques aunes dont les racines, en s'entrelaçant dans le sol, forment en peu de temps un préservatif naturel pour les bords du fossé.

4° *Les clayonnages* en bois de saule sont fort bons;

on plante à cet effet des pieux (fig. 36) *aaa*, que

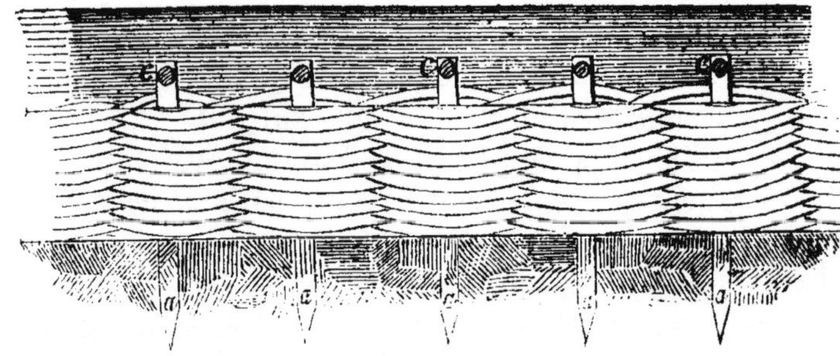

Fig. 36.

l'on raffermit par des traverses *ccc*, et on y enlac
des branches flexibles de saule. Cette construction es
de longue durée, c'est celle que l'on emploie le plu
souvent.

5° *Le gazonnement* n'est possible que quand l
fossé a peu de profondeur. Un entassement de ving
décimètres sur toute la portion supérieure du foss
est souvent tout ce qui est nécessaire pour préveni
les éboulements.

Lorsqu'un fossé doit être creusé dans un sabl
trop perméable, on est forcé de chercher à le rendr
étanche [1]. Le moyen suivant réussit quelquefois. O
dépose de distance en distance des tas d'argile qu'o
délaye successivement dans de l'eau et qu'on vers
dans le fossé; les particules argileuses, s'infiltran
avec l'eau entre les grains de sable, bouchent herm
tiquement les pores du sol et rendent parfois ce de
nier suffisamment imperméable pour l'usage qu'o
en attend.

Des fossés endigués.

Il est quelquefois nécessaire de conduire l'eau

[1] C'est-à-dire propre à retenir l'eau.

travers un fond pour la répandre sur un endroit plus élevé; dans ce cas, des digues sont indispensables. Si le fossé est peu considérable et le fond peu profond, voici comment l'on procède. En premier lieu on enlève les gazons sur toute la surface où l'on veut établir la digue, puis on amène de la terre (si le fossé ne produit pas les remblais nécessaires) qu'on tasse par couches successives de l'épaisseur de la bande de gazon enlevée. A la partie intérieure de la digue on place des morceaux de gazon les uns au-dessus des autres pour donner plus de solidité au travail. L'épaisseur de la partie supérieure des digues (fig. 37)

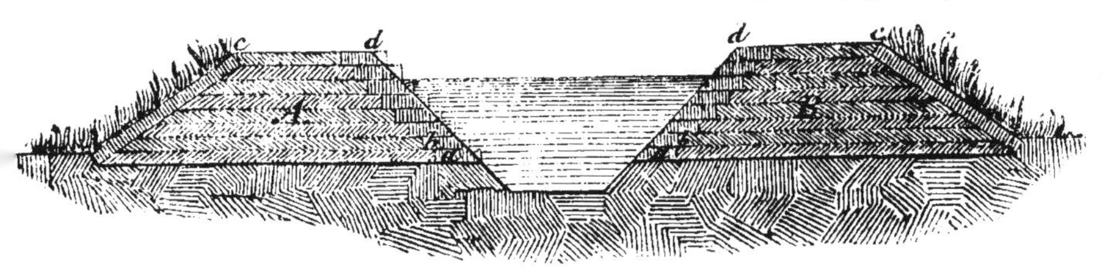

Fig. 37.

e d doit être égale à la profondeur de l'eau dans le fossé. — Ces digues doivent dépasser le niveau d'eau ordinaire de 0m.30 à 0m.50, afin d'éviter les accidents que pourraient amener des affaissements ou des crues subites. — Dans la fig. 37, A B montre les digues, *a b* les couches superposées de gazon. Il est bon de placer une bande horizontale de gazon vert à la partie supérieure de ces digues.

Lorsque l'endiguement doit être plus considérable, on procède un peu différemment. On amène alors une quantité de terre assez grande après avoir, comme précédemment, enlevé le gazon.

Cette terre est tassée au moyen d'une dame, par couches successives, et quand la digue est élevée à la hauteur voulue (de 0m.30 à 0m.50 au-dessus du niveau d'eau normal), on la recouvre en entier d'une couche de gazon. (Voir la fig. 38.) La largeur de *a* en *b* égale

Fig. 38.

la largeur du fossé, plus deux fois sa profondeur. On peut clouer les gazons à la digue au moyen de petits pieux fichés en terre; ceci empêchera leur glissement jusqu'au moment où ils auront bien pris racine.

Les digues, surtout pendant le moment d'immersion du pré, sont sujettes à être endommagées par les taupes, les rats d'eau, etc., qui s'y réfugient dans la crainte d'être noyés dans les bas-fonds. Il est bon de les examiner de temps à autre afin de voir s'il n'existe aucune perte d'eau ni d'affaissements notables, maux auxquels il est bon de remédier immédiatement.

De la position du canal principal ou de dérivation.

La position du canal principal doit s'établir d'après les données les plus économiques. Plus il sera court, et mieux il vaudra, car chaque mètre de plus en longueur coûte de l'argent. Il faut dresser des plans exacts et faire un devis estimatif des frais de construction avant de commencer à le creuser.

Quelques considérations basées sur la nature du sol, ou sur le voisinage de certaines terres labourables que doit traverser le canal et qu'on ne pourrait plus labourer d'un seul trait, peuvent cependant déterminer à détourner ou à allonger le canal principal; c'est à la sagacité du cultivateur qu'incombe la responsabilité de cet emplacement. Il est presque indispensable de construire une écluse ou un barrage à la partie antérieure du canal principal, afin de régler la quantité d'eau qu'on veut répandre sur le pré.

Des fossés principaux proprement dits.

Ces fossés conduisent l'eau du canal dérivateur ou principal (quelquefois d'un embranchement de celui-ci) jusqu'aux fossés alimentaires. Ils ne fournissent de l'eau à aucune rigole.

Ces fossés suivent la pente générale du terrain. — Ils doivent être un peu plus bas de fond que le canal principal, mais les fossés alimentaires doivent être un peu plus bas qu'eux.

La grandeur à leur donner ne peut être fixée d'une manière générale; elle dépend entièrement de la masse d'eau. Leur profondeur est fort rarement moindre de 0^{m}.60; leurs dimensions doivent être à peu près égales à celles des fossés de décharge. — Les fossés de répartition sont légèrement endigués comme l'indique la fig. 39. Ces petites digues doivent

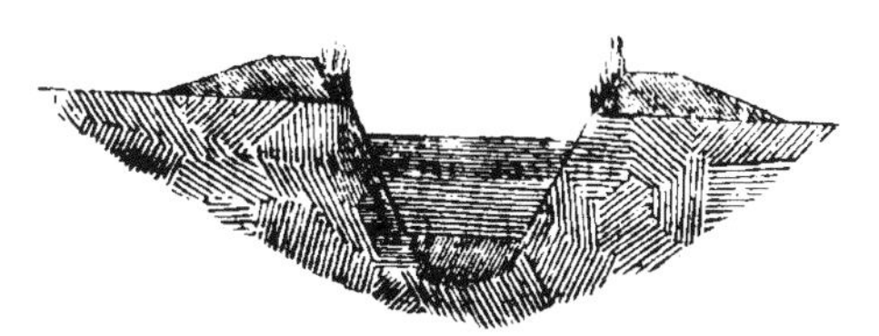

Fig. 39.

avoir de 0^{m}.16 à 0^{m}.25 de hauteur sur une largeur proportionnelle.

Des fossés alimentaires.

Les fossés alimentaires ont pour but d'amener l'eau dans les rigoles d'une manière régulière et uniforme.

Les fossés alimentaires sont horizontaux et sans aucune pente quand la chose est possible. Ce n'est qu'ainsi que la répartition de l'eau peut se faire d'une manière uniforme. La longueur la plus grande d'un fossé alimentaire ne doit pas dépasser de 225 à 300 mètres.

Quant à la profondeur, elle ne doit être ni trop forte ni trop faible; il est bon que le fond soit un peu plus profond que le niveau des rigoles, de façon à servir de réservoir aux eaux du ciel qu'elles ne déverseront alors sur le pré que dans les cas extrêmes. La meilleure profondeur à donner aux fossés de décharge paraît être de $0^{m}.30$ à $0^{m}.45$.

La largeur de ces fossés n'est pas la même au commencement qu'au bout; ceci se comprend aisément, car à mesure qu'ils avancent, ils donnent de l'eau à des rigoles successives qui en entraînent une partie.

La largeur à l'extrémité postérieure ne doit jamais être moindre du double de la largeur de la rigole qui vient y aboutir, c'est-à-dire de $0^{m}.60$.

La largeur antérieure doit être proportionnelle à la dimension des ados ou plans à irriguer.

Pour l'irrigation en ados [1], on obtient la largeur antérieure du fossé de décharge en divisant la longueur entière du fossé par 9, en ajoutant 3 au nombre obtenu, et en divisant ce dernier total par 2.

Le fossé doit toujours aller en se rétrécissant graduellement depuis son embouchure jusqu'à sa termi-

[1] Voir chapitre VII la définition de ce mot.

naison, laquelle n'aura, comme nous l'avons déjà dit, que $0^{m}.60$ de diamètre.

Pour l'irrigation en plan incliné [1], les dimensions sont différentes; afin de connaître la largeur à donner à l'embouchure des fossés alimentaires, il faut connaître le nombre de planches successives qui se suivent; on peut alors faire le calcul suivant : on divise la longueur du fossé :

S'il n'y a que 2	planches	par	52
3	»	»	36
4	»	»	27
5	»	»	22,5
6	»	»	18,5
7	»	»	15,5
8	»	»	13,5
9	»	»	12,5
10	»	»	11,5

Le quotient donne la largeur du fossé à son commencement; l'autre extrémité étant toujours de $0^{m}.60$.

De la situation des fossés alimentaires.

Les fossés alimentaires sont rarement tracés en ligne droite, ils ne le sont que par exception là où le sol est parfaitement horizontal.

C'est par économie qu'on procède ainsi, car on peut éviter des frais considérables en faisant décrire des courbes à ces fossés, de façon à leur faire suivre les inégalités du sol sans quitter un même plan horizontal.

Pour déterminer l'emplacement de ces fossés, on jalonne une ligne horizontale, laquelle, comme nous venons de le dire, sera généralement brisée et angu-

[1] Voir chapitre VII, la définition de ce mot.

leuse. (Voir fig. 40.) Soit *a e f g h i k l* la ligne marquée par les jalons ; on conçoit qu'il est possible de tirer une ligne courbe *a* A B *l* moyenne, qui pourra être suivie par le fossé, lequel sera infiniment moins coûteux que si on l'avait construit de jalon en jalon.

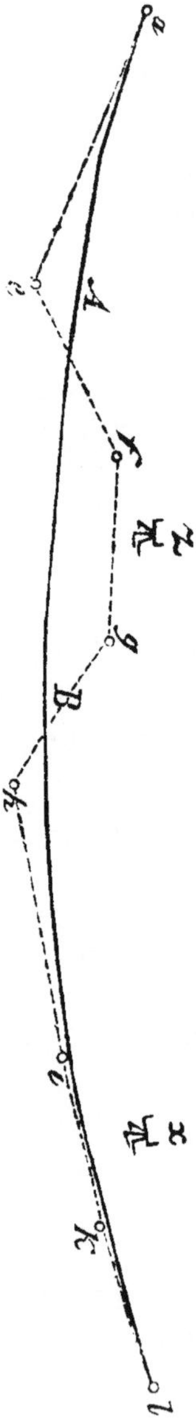

L'eau n'est guère retardée dans sa course par des fossés alimentaires sinueux, cela n'a lieu que dans le cas de pentes très-rapides.

De la destination spéciale de quelques fossés alimentaires.

Il arrive quelquefois qu'on fait servir un fossé alimentaire comme conduit d'eau d'un fossé alimentaire à un autre ; dans ce cas sa profondeur est basée sur ce que nous avons dit précédemment à propos du canal conducteur principal ; sa largeur se règle d'après la masse d'eau à conduire, mais elle est toutefois proportionnée à la profondeur ; sa pente doit être de $0^{m}.10$ par 100 mètres. Ce fossé remplissant une double fonction doit renfermer à la fois l'eau nécessaire aux rigoles et celle nécessaire au fossé alimentaire auquel il aboutit. Le fossé alimentaire sert quelquefois de fossé de desséchement ou de décharge ; ceci a lieu toutes les fois qu'il borde une plaine marécageuse ; sa profondeur peut alors être assez considérable, et on doit le mettre en communication avec d'autres fossés de décharge.

Fig. 40.

De la terre retirée des fossés alimentaires.

La terre retirée des fossés sert à construire sur leurs bords de petites digues larges de $1^{m}.20$, hautes de $0^{m}.15$ à $0^{m}.30$ et gazonnés jusqu'à $0^{m}.15$ de hauteur.

Les rigoles principales et les rigoles alimentaires sont coupées dans ces digues après leur construction.

La figure 41 A représente la coupe d'un fossé alimentaire.

Observation générale.

Les fossés alimentaires tracés parallèlement au canal principal ayant dans celui-ci leur prise d'eau peuvent être plus étroits que nous ne l'avons indiqué. On ne peut cependant formuler aucune règle fixe pour déterminer leurs dimensions.

Des fossés de décharge.

Les fossés de décharge ont généralement une double fonction : ils servent à assainir le sol ainsi qu'à évacuer l'eau qui a servi à l'irrigation. Ils ne servent, dans certains cas, qu'à un seul de ces buts; d'autres fois ils remplissent simultanément les deux fonctions.

Nous avons déjà indiqué, en parlant de l'assainissement (drainage) du sol, comment on doit s'y prendre pour les

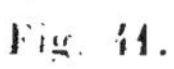

Fig. 41.

fossés qui ne servent qu'au dessèchement. Occupons-nous ici des fossés de décharge proprement dits, ou de ceux propres à entraîner l'eau ayant servi aux arrosements. On nomme quelquefois *canal de dessèchement* un grand fossé de décharge par lequel s'écoule toute l'eau venant du pré, après avoir servi à l'irrigation.

De la pente des fossés de décharge.

Quand les fossés de décharge sont parallèles à un fossé alimentaire, ils sont ou inclinés ou horizontaux. La figure 41, B, montre la coupe; la figure 42, le plan de ces fossés de décharge.

Il se présente ici deux cas; le premier cas est représenté en plan et en profil à la figure 42, A. Les planches *aa* se trouvent un peu plus haut que les planches *bb*; celles-ci n'ont qu'une faible élévation au-dessus de *cc*. Si les fossés d'alimentation pour *bb* étaient en même temps des fossés d'écoulement pour *aa*, les planches *aa* construites selon la figure seraient presque entièrement sous l'eau. Il faut alors construire un fossé de décharge particulier *def* approprié à ce seul usage.

Le second cas est représenté à la figure 42, B. Ici les planches *aaa* sont un peu plus élevées que les planches *xxx*, mais pas encore suffisamment pour que l'eau puisse être utilisée une seconde fois pour l'irrigation. Cela est cependant possible pour les planches *bb*; c'est pourquoi le fossé de décharge *de* reçoit l'eau qui a déjà servi pour l'arrosement de *aa;* le fossé de décharge *ef* le conduit autour des planches *xx*, et le fossé alimentaire *gf* reçoit cette eau pour la verser sur la surface des planches *bb*, au moyen des rigoles qui s'y rendent.

La figure 41 représente une planche ainsi disposée : on voit en A le fossé alimentaire, en B le fossé de décharge et en *a* la rigole d'alimentation de la planche AB.

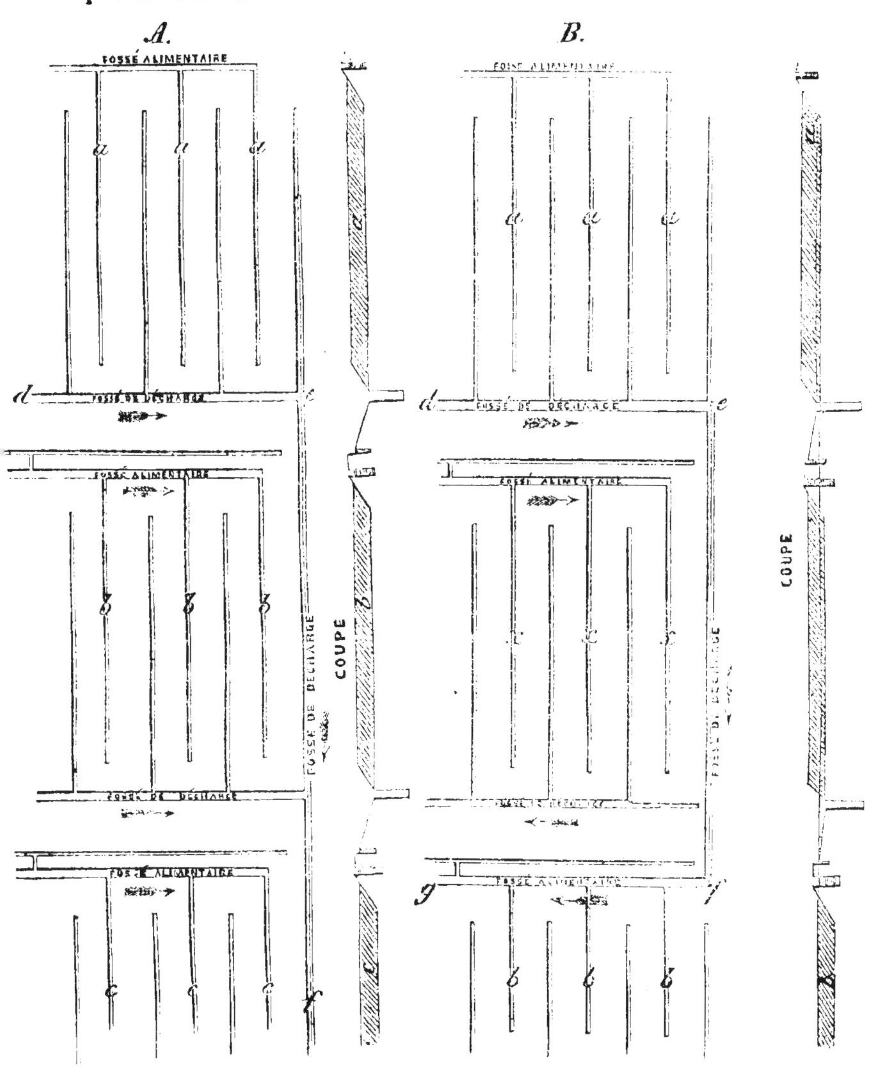

Fig. 42.

Profondeur des fossés de décharge.

On donne plus de profondeur que de largeur à ces fossés; ils ne peuvent avoir moins de 0m.60 de profondeur et doivent dépasser le niveau d'eau de 0m.15 à 0m.25. Dans les sols tourbeux ou marécageux, leur profondeur doit au moins égaler un mètre. Les fossés de décharge non parallèles aux fossés alimentaires ou dégorgeoirs des fossés de décharge parallèles, ne doivent pas avoir de moindres dimensions.

Largeur des fossés de décharge.

La moindre largeur d'un fossé de décharge est d'un mètre; sa largeur à la partie supérieure se calcule de la même manière que nous l'avons indiqué pour les fossés alimentaires. A partir d'une largeur d'un mètre, à sa partie la plus étroite, le fossé va en augmentant graduellement jusqu'à sa plus grande largeur calculée d'après les données exposées plus haut. Ces fossés doivent d'ailleurs toujours être proportionnés à la masse d'eau qu'ils sont destinés à charrier. Le bord supérieur doit dépasser d'une quantité convenable le niveau normal de l'eau qui y coule.

De la terre provenant des fossés de décharge.

Si les fossés de décharge sont parallèles aux fossés alimentaires, la terre qu'on en retire sert à compléter l'endiguement de ces derniers. Dans le cas où la quantité en serait trop considérable, on l'utilise pour donner la pente nécessaire à l'intervalle entre ces fossés alimentaires et de décharge, pour combler des excavations et pour opérer des nivellements dans le voisinage.

Dans les sols marécageux, on peut mélanger la terre retirée des fossés ou la cendre de cette terre (si on la brûle) avec le sol environnant, où elle fera l'office d'un amendement bienfaisant.

De la destination spéciale de quelques fossés de décharge.

Lorsqu'il arrive que des fossés de décharge ramènent l'eau à des fossés alimentaires qu'ils rencontrent en chemin, comme le montre la figure 42, B, pour le fossé de décharge *ef*, le fossé de décharge remplit véritablement l'office d'un fossé principal ou conducteur; mais tout ce que nous avons dit plus haut relativement aux premiers s'applique de même à ces fossés de décharge dont les fonctions sont modifiées, avec cette seule différence que la terre qu'on en retire se dépose sur ses deux bords pour servir à son endiguement.

Observation. Dans un sol inégal ou marécageux, on applique aux fossés de décharge les mêmes règles que nous avons énoncées précédemment en parlant des fossés principaux.

Des rigoles.

La largeur des rigoles, ainsi que leur profondeur, peut varier de $0^m.15$ à $0^m.50$. Leurs parois à peu près droites doivent présenter une coupe presque rectangulaire, comme l'indique la figure 43. La forme trian-

Fig. 43.

gulaire (fig. 44) ne vaut rien, elle est sujette à per-

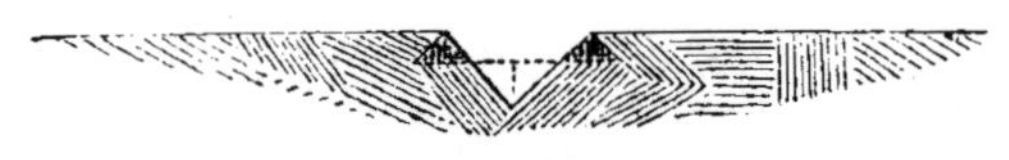

Fig. 44.

mettre à l'herbe d'envahir la rigole, et présente encore d'autres inconvénients. Comme nous l'avons dit, on divise les rigoles en rigoles principales, en rigoles alimentaires et en rigoles de décharge. Voyons séparément chacune d'elles.

Des rigoles principales.

Les rigoles principales sont destinées au même but que les fossés principaux. Elles prennent de l'eau aux fossés d'alimentation pour la verser dans les rigoles d'alimentation. Elles ne sont pas propres à répandre l'eau sur le pré par déversement. Les rigoles principales ne s'emploient que dans les irrigations en planches ou en ados larges. On doit chercher autant que possible à les établir à angle droit avec les fossés d'alimentation et les rigoles d'alimentation. La pente de ces rigoles est la même que celle du terrain. Leur largeur est de $0^m.30$ à $0^m.40$; leur profondeur de $0^m.10$ à $0^m.30$ quand la culture est en plans inclinés; mais dans l'irrigation en ados la largeur n'est que de $0^m.15$, et leur profondeur de $0^m.08$ à $0^m.10$.

L'affluence de l'eau qui entre dans les rigoles principales, ainsi que la distribution de l'eau de ces dernières rigoles aux rigoles alimentaires, est réglée par de petites écluses ou des planches d'arrêt, comme nous le verrons plus loin.

Des rigoles alimentaires ou rigoles d'irrigation.

Les rigoles alimentaires ont pour but de verser

l'eau sur toute la surface du pré. Plus l'eau est répandue avec abondance et régularité sur cette surface, et plus aussi le foin qu'on récoltera sera long et abondant. Les rigoles alimentaires doivent répandre par débordement partout et en même temps une quantité égale; ceci ne peut cependant se faire que là où ces rigoles sont parfaitement horizontales et ont des bords égalisés avec le plus grand soin. Les rigoles alimentaires ne doivent pas être trop longues; la meilleure longueur est de 30 à 35 mètres, au maximum de 45, et cela seulement dans des cas exceptionnels. La largeur moyenne de ces rigoles est de $0^m.25$ à $0^m.30$, et sur des planches ou des ados peu larges $0^m.15$ suffisent. Quand les rigoles alimentaires sont destinées à l'arrosement d'ados, leur profondeur doit égaler la hauteur de ces derniers ou du moins n'en différer que de très-peu de chose; quand ce sont des planches que doivent arroser les rigoles, leur profondeur peut varier de $0^m.10$ à $0^m.25$.

Des rigoles de décharge.

Ces rigoles reçoivent l'eau qui a servi aux irrigations et la portent aux fossés de décharge.

Leur largeur ordinaire est d'environ $0^m.30$; leur profondeur est de $0^m.25$ à $0^m.35$ dans un sol sablonneux ou limoneux, mais de $0^m.50$ à $0^m.60$ dans un terrain tourbeux ou marécageux. Les parois en sont perpendiculaires. Quand le sol est mouvant, il est bon de n'approfondir ces rigoles que peu à peu, de façon que les gazons qui croissent sur leurs bords puissent consolider par leurs racines la terre qui les avoisine et qui les menace souvent de destruction.

Le fond des rigoles de décharge peut être horizontal; la pratique prouve l'inutilité de leur donner une pente. La largeur des rigoles de décharge est proportionnée à celle des rigoles alimentaires. Dans la culture en ados, les rigoles de décharge doivent commencer à environ 4 mètres des fossés alimentaires; dans la culture en plans inclinés, la position des rigoles d'alimentation doit déterminer celle des rigoles de décharge. L'espace entre les rigoles d'alimentation et celles de décharge peut varier entre 0^{m}.60 et 1 mètre, ce dernier cas dans les sols tourbeux exclusivement.

Les rigoles de décharge qui servent à l'écoulement des autres reçoivent la pente générale du terrain et doivent autant que possible être disposées à angle droit, par rapport à la direction des rigoles alimentaires; elles ne doivent point avoir une largeur de plus de 0^{m}.30 à 0^{m}.45 sur une profondeur de 0^{m}.30.

Observation. L'emploi de la latte à plomb est d'une grande utilité pour l'établissement des rigoles alimentaires. Pour cela, on place une extrémité de la latte à plomb au point où la rigole d'irrigation doit recevoir l'eau du canal de répartition ou de la rigole principale. Avec l'autre extrémité, on cherche le point où la latte doit être placée pour donner la direction horizontale. Ce point trouvé, on incline la latte en l'appuyant contre un piquet, et s'en servant comme d'un cordeau; on taille avec le croissant une ligne qui doit donner la paroi inférieure de la rigole. On avance ensuite la latte et on continue de la même manière le tracé de la rigole. S'il se trouve un creux entre les extrémités de la latte, on taille la ligne en lui faisant décrire le contour de ce creux au-dessus de la latte. Si, au contraire, on rencontre une élévation, on la tourne de même en taillant la rigole au-dessous de la latte.

La paroi inférieure de la rigole étant ainsi taillée, il est facile à l'ouvrier de couper la paroi supérieure.

CHAPITRE VII.

DE LA DISPOSITION DU SOL POUR L'IRRIGATION. — EXPOSÉ DE LA CONSTRUCTION DES PRÉS EN PLAN INCLINÉ ET EN ADOS.

De l'irrigation en plan incliné et en ados.

Dans le chapitre précédent nous avons précisé la manière de construire les fossés et rigoles servant à l'écoulement des eaux dans les prés irrigués; il nous reste à exposer comment on dispose la surface du terrain sur lequel l'eau doit se répandre.

Nous avons vu précédemment que la réussite de la recolte dépendait de la répartition égale en quantités assez considérables de l'eau sur tous les points du pré. Pour parvenir à ce but deux conditions sont nécessaires : 1° les surfaces à irriguer doivent être inclinées, afin de favoriser l'écoulement de l'eau; 2° ces surfaces doivent être planes, afin de permettre l'égale répartition de l'eau sur toutes leurs parties.

On peut réaliser ces conditions de deux manières : soit par ce qu'on appelle *l'irrigation en plan incliné*, soit par *l'irrigation en ados.*

L'irrigation en plan incliné tire son nom de la disposition de la surface entière du pré en planches planes (mais inclinées), successives, à pente continue, de sorte que la première planche soit plus élevée que la seconde qui la suit, que la seconde soit plus élevée à sa partie la plus basse que la troisième qui lui succède, et ainsi de suite.

L'irrigation en ados diffère de l'irrigation en plan incliné, en ce que chaque planche est construite en toit ou sous forme de deux versants, la partie supérieure, ou arête du toit, portant une rigole longitudinale d'alimentation.

Dans l'irrigation en plan incliné, les rigoles d'irrigation situées entre chaque planche ne se déversent que d'un côté, du côté inférieur; dans l'irrigation en ados, les rigoles versent leur contenu de deux côtés à la fois, de manière à arroser les deux versants de l'ados.

La configuration du terrain et son inclinaison détermineront le choix de l'une ou l'autre de ces méthodes; en général, quand le sol a passablement de pente, on établit des plans inclinés; quand il est faiblement incliné ou marécageux, on construit des ados.

Les fig. 45 et 47 nous montrent la coupe d'un pré cultivé en plan incliné; la fig. 46, celle d'un pré cultivé en ados.

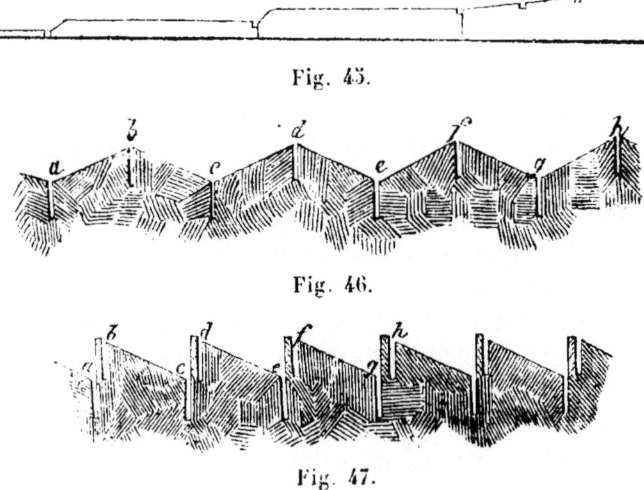

Fig. 45.

Fig. 46.

Fig. 47.

De l'irrigation en ados.

1° *Pente des ados.*

La hauteur des ados se détermine d'après la profondeur des rigoles alimentaires. On sait, par ce calcul, que des ados larges de 10 mètres doivent avoir une pente totale de 0m.25 pour chaque versant (large de 5 mètres); des ados de 15 mètres (ou 7m.50 pour chaque versant) auront une hauteur de 0m.30; des ados de 20 mètres (versants ayant 10 mètres) auront 0m.35 de hauteur; des ados de 25 mètres (12m.50 de versant) auront 0m.40; des ados de 30 mètres (15 pour chaque versant) auront 0m.45 de hauteur.

2° *Largeur des ados.*

La largeur à donner aux ados doit dépendre de la qualité des eaux d'irrigation, c'est-à-dire que plus l'eau est riche en principes fertilisants et plus l'ados pourra avoir de largeur. — Quand nous parlons de la largeur des ados, nous voulons dire leur largeur totale ou la somme des deux versants.

Les ados ne doivent jamais avoir moins de dix mètres; car c'est perdre inutilement de l'eau que de l'employer à l'irrigation de plus petites surfaces.

C'est au bon jugement du cultivateur à apprécier la largeur des ados; ceux-ci doivent toutefois être construits de manière à permettre au faucheur de couper l'herbe sur tout le diamètre d'un versant d'un seul coup de faux. Les andains peuvent ainsi se distribuer régulièrement.

Quand on construit des ados de grande largeur, il est indispensable d'établir au milieu de chaque versant, et dans le sens de leur longueur, une rigole régulatrice horizontale, comme l'indique la fig. 48, *ab*, *ab*. — Les ados étroits n'ont donc qu'une seule rigole

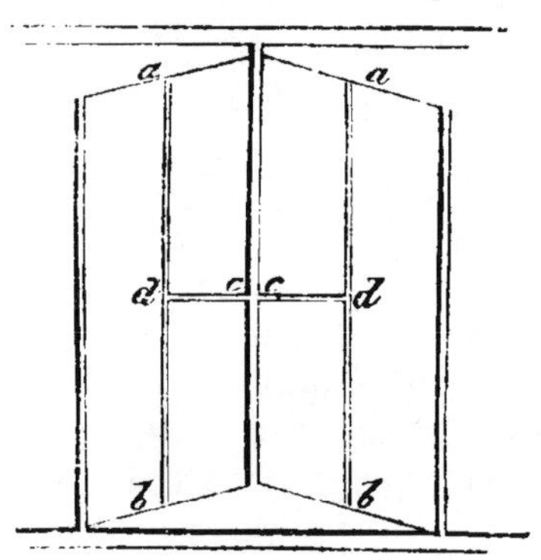

Fig. 48.

alimentaire; les ados larges en ont trois, dont une au sommet et deux latérales dans le milieu de la pente de chaque versant. Ces rigoles régulatrices *ab*, *ab*, doivent avoir une largeur de 0m.15 sur 0m.08 à 0m.10 de profondeur. Les rigoles principales peuvent être réduites à 0m.10 sur 0m.08 à 0m.10 de profondeur.

3° *Longueur des ados.*

Les ados ne peuvent jamais excéder de plus de 2 ou 3 mètres les rigoles d'alimentation qui arrosent leurs versants.

Leur longueur moyenne est de 30 à 35 mètres; jamais ils ne doivent dépasser 40 mètres.

Il vaut mieux les construire trop courts que trop longs.

4° *Où convient-il de construire des ados?*

Il convient d'établir l'irrigation en ados : 1° là où le sol presque horizontal demanderait de grands transports de terre, si on voulait y établir des plans inclinés; 2° là ou le sol présente une surface fort inégale et qu'il coûterait beaucoup d'aplanir; 3° là enfin où le sol aigre et marécageux demande à être bien assaini. — Ordinairement la terre enlevée des fossés, etc., suffit à donner aux ados la hauteur voulue; dans le cas contraire, on se verrait obligé de chercher au loin de la terre, et il serait bon de faire bien ses calculs à l'avance.

Ce dernier cas se présente lorsque la prairie a une pente dans le sens des ados, lesquels demandent alors à être nivelés.

De la situation des ados.

La position la plus avantageuse des ados, c'est une direction du nord au sud, qui soumet aux mêmes influences atmosphériques les deux versants.

Ces avantages ne sont cependant pas tels qu'on ne puisse établir les ados dans tout autre sens, si la première disposition devait occasionner des frais considérables. — C'est la direction des fossés alimentaires qui nous donne celle des ados, car les rigoles sont placées à angle droit par rapport à ces fossés.

Il est rare que les fossés alimentaires soient droits; mais ordinairement leur trajet est plus ou moins courbe; il se présente ici trois cas: 1° les fossés alimentaires décrivent plusieurs courbes déviant peu de la ligne droite; 2° les fossés alimentaires décrivent une forte courbe en dedans; 3° ces mêmes fossés décrivent une courbe en dehors.

Examinons séparément chacun de ces cas.

1° Le fossé alimentaire AB (fig. 49) décrit de légères

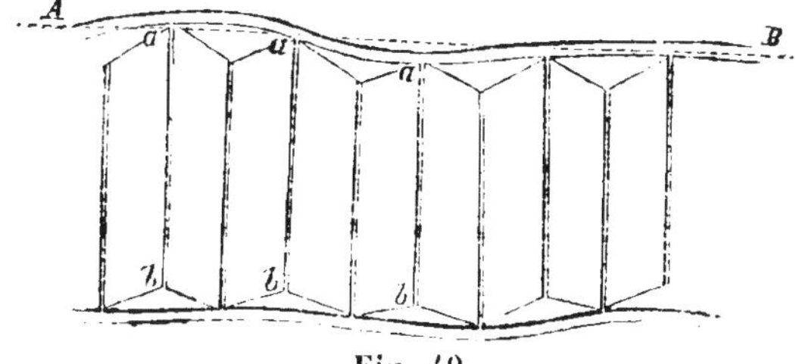

Fig. 49.

courbes; on peut supposer une ligne droite passant par ses deux extrémités, et qui sera une moyenne sur laquelle on pourra diriger perpendiculairement les rigoles alimentaires *ab*, *ab*, *ab*.

2° Si le fossé alimentaire décrit une courbe en dedans comme le montre la ligne ABCD (fig. 50 et 51),

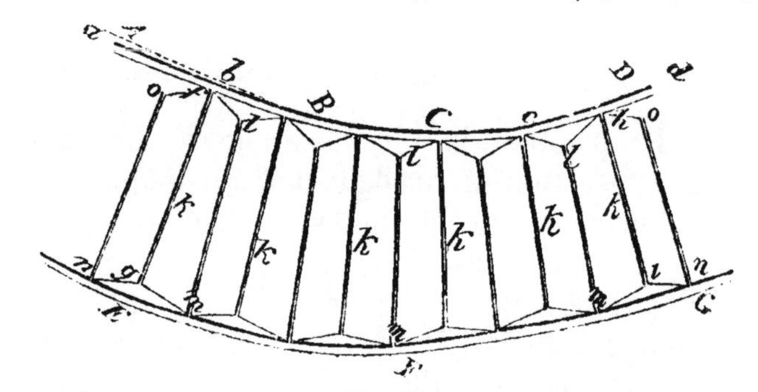

Fig. 50.

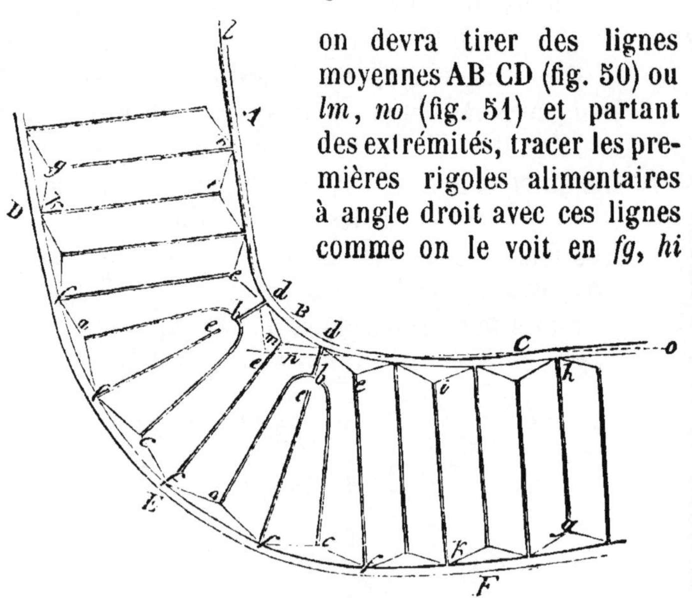

Fig. 51.

on devra tirer des lignes moyennes AB CD (fig. 50) ou *lm*, *no* (fig. 51) et partant des extrémités, tracer les premières rigoles alimentaires à angle droit avec ces lignes comme on le voit en *fg*, *hi* (fig. 50) et *gh*, *gh* (fig. 51). — On dispose alors les ados intermédiaires *k*, *k*, K, K (fig. 50) d'une manière divergente, et leur réunion dans la courbe n'offre plus de difficulté. C'est la méthode la plus simple pour des courbes adoucies; mais là où les courbes sont courtes et fortes, les arêtes des ados seraient trop divergentes, c'est-à-dire que ces lignes convergeraient toutes vers le haut et s'écarteraient trop à l'extrémité opposée. Dans ce cas on réunit en une seule courbe deux rigoles alimentaires, dont la distance moyenne doit être égale à la largeur normale des ados (voir fig. 51, *ab* et *cb*); ces rigoles réunies sont reliées par un petit canal unique *bd* au fossé alimentaire.

3° Si le fossé alimentaire décrit une courbe en dehors (on peut supposer les fig. 50 et 51 renversées), de manière que le fossé alimentaire se trouve en EFG (fig. 50) et DEF (fig. 51), on doit déterminer la position des rigoles alimentaires extrêmes *no*, *no* (fig. 50) et diviser l'intervalle *nn* et *oo* d'une manière régulière, de sorte que les rigoles alimentaires *lm* se trouvent à des distances convenables. — Si l'on s'aperçoit que ces rigoles d'alimentation convergent trop, comme on le voit à la fig. 51, *ef*, *ef*, on doit réunir les rigoles de décharge *ab*, *bc*, deux à deux, et les faire déverser par le petit canal *bd* dans le fossé de décharge.

Un autre moyen de procéder est le suivant. On construit une rigole AB (fig. 52) qui vient aboutir au centre principal de la courbe décrite par le fossé alimentaire; puis tirant les lignes moyennes, on construit les ados avec leurs rigoles perpendiculaires à ces lignes moyennes AB, CD. — Ces rigoles sont marquées *f g*, *fg*, *h i*, *h i*. — Dans le cas où le terrain est inégal, de sorte que les deux côtés de la pente ne sont pas parallèles, comme l'indique la fig. 53, on doit diviser le pré en deux séries d'ados dont la seconde est alimentée par un fossé alimentaire particulier *an* B, et dont l'eau s'écoulant de la première est entraînée

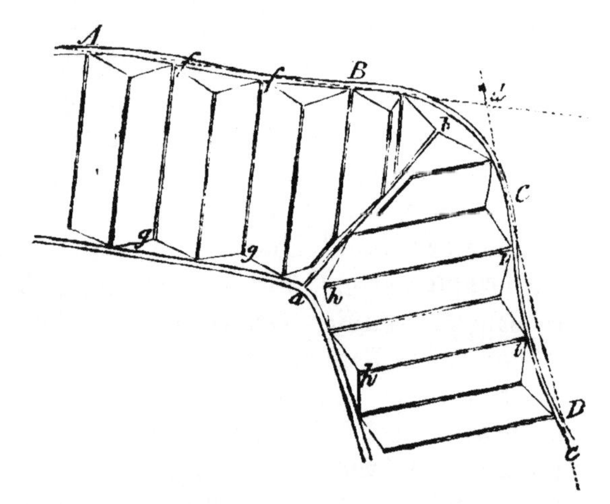

Fig. 52

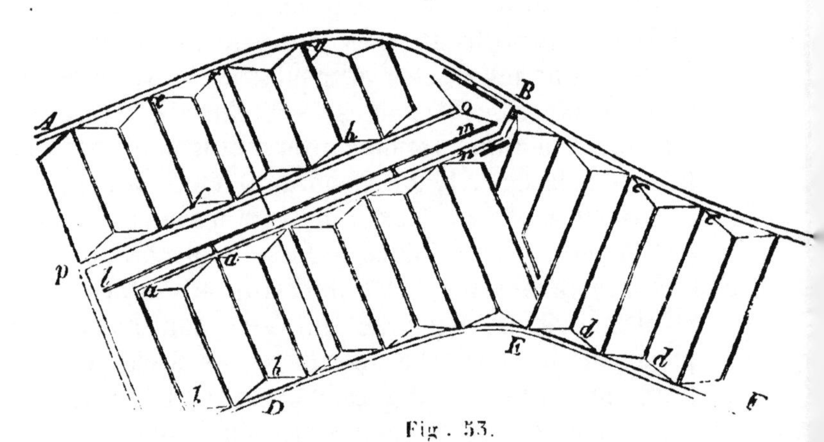

Fig. 53.

par un fossé de décharge *po*. L'espace situé entre le fossé alimentaire *an* B et le fossé de décharge *op* est arrosé comme un ados simple au moyen d'une rigole alimentaire *lm*.

De l'irrigation en plan incliné.

Les planches planes et en pente douce, dont la réunion constitue un pré soumis à l'irrigation en plan incliné, peuvent, étant prises séparément, être regardées comme l'un des versants d'un ados, ou comme un demi-ados.

De la largeur des planches.

Comme pour les ados, la qualité de l'eau doit déterminer la largeur à donner aux planches; dans une localité où l'on serait forcé de construire des ados larges de 8, 10, 12, 16, 20 ou 24 mètres, on ferait des planches de 4, 5, 6, 8, 10 ou 12 mètres (largeur d'un des revers de l'ados).

Les versants larges doivent recevoir dans leur milieu une rigole alimentaire régulatrice large de 0m.10 à 0m.15, et profonde de 0m.08 à 0m.10. (Voir la fig. 54, *cc, cc.*)

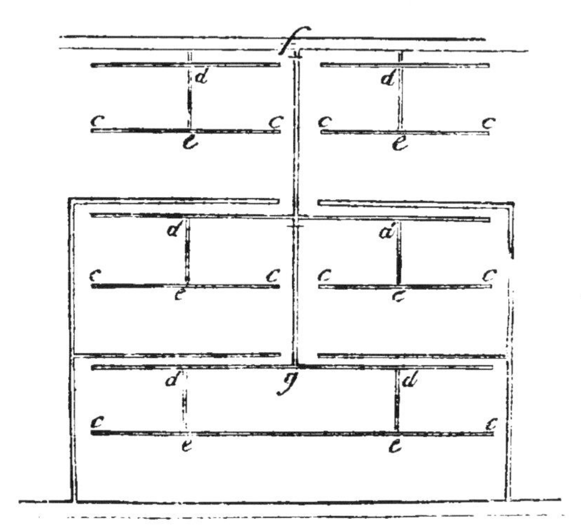

Fig. 54.

Afin d'obtenir un arrosement régulier et abondant, il est bon d'amener de l'eau fraîche au moyen de rigoles principales disposées comme la figure l'indique en *de*, *de*.

Si la pente du terrain est très-forte, on doit diviser la planche en trois parties, comme cela se voit à la fig. 55, où *ee*, *ff* sont les rigoles alimentaires régulatrices, et *gh*, *gh* les rigoles principales.

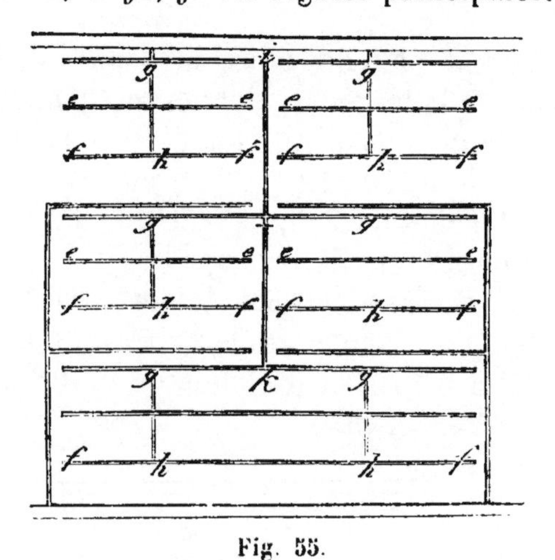

Fig. 55.

Longueur des planches.

La longueur des planches se règle d'après la longueur des rigoles alimentaires. Si la rigole alimentaire amène l'eau à la limite de la planche, cette dernière ne peut avoir que de 25 à 35 mètres; mais si l'eau est conduite jusqu'au milieu de la planche, celle-ci peut avoir jusqu'à 60 mètres sans inconvénient.

Les planches courtes sont plus faciles à construire et à niveler que les longues, et sont généralement moins coûteuses à établir. — Les longueurs le plus communément usitées sont de 20 à 25 mètres pour les planches qui reçoivent l'eau par leurs limites, de 40 à 45 mètres pour celles qui reçoivent l'eau dans leur milieu.

Pente des planches.

La pente doit être la même que celle donnée aux revers d'un ados qui recevrait de l'eau de même qualité et en même quantité.

Des planches larges de

4	mètres doivent avoir	une pente de	$0^{m}.20$.
6	»	»	$0^{m}.25$.
8	»	»	$0^{m}.30$.
12	»	»	$0^{m}.40$.

La pente n'est d'ailleurs pas de grande importance; quelques centimètres de plus ou de moins n'influent pas sur la récolte. La pente ne doit pas être trop forte, afin d'empêcher que l'eau ne coule trop rapidement à la surface du pré et ne fasse ensuite déborder les fossés de décharge tout en dégradant le sol et les nivellements. C'est pourquoi une pente de 60 à 75 millimètres par mètre est un maximum qu'on ne doit jamais dépasser.

Les maximum de pente sont donc :

Pour des planches larges de	4	mètres,	$0^{m}.30$.
»	6	»	$0^{m}.45$.
»	8	»	$0^{m}.60$.
»	10	»	$0^{m}.75$.
»	12	»	$0^{m}.90$.

On doit niveler chaque fois que la pente naturelle du sol dépasse les chiffres indiqués.

Où peut-on établir l'irrigation en plan incliné?

Ceux qui pratiquent l'irrigation appelée en Allemagne *artificielle,* n'établissent pas de rigoles de décharge

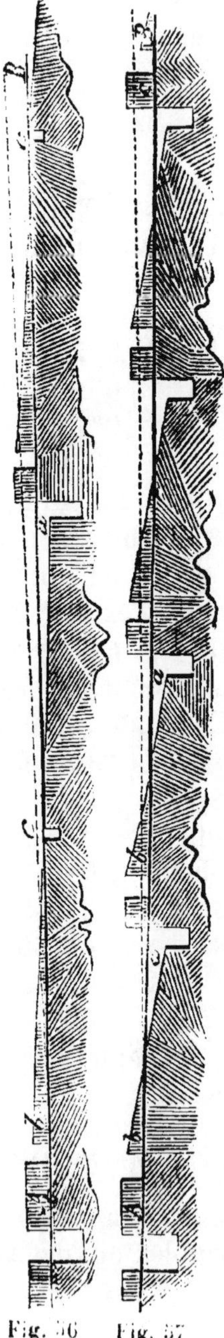

Fig. 56 Fig. 57

pour chaque planche; c'est-à-dire que l'eau qui a passé sur la première planche passe de là sur la seconde, puis successivement sur toutes les autres planches; dans ce cas, la moindre pente que puisse avoir le terrain est de 0m.10 par 4 mètres; mais dans l'irrigation rationnelle, qui est la seule bonne méthode, chaque planche a sa rigole alimentaire et sa rigole de décharge, et l'irrigation en plan incliné peut y être établie avec une pente naturelle du terrain qui n'aurait même que 0m.026 par 4 mètres (0m.006 par mètre).

Soit le plan incliné (figure 56), formé de planches larges de 4 mètres; la pente naturelle du terrain n'est que de 0m.006 par mètre; mais chaque planche devra avoir 0m.23 de pente; c'est artificiellement qu'on parvient à donner cette pente.

C'est donc une pente de 0m.104 (0m.23 moins 0m.026) que nous aurons à créer; ceci est très-facile; nous n'aurons qu'à prendre en *a* 0m.052 de terre pour les reporter en *b*. — Dans ce cas, l'irrigation en plan incliné coûtera beaucoup moins que l'irrigation en ados, car la bêche rejette facilement la terre de *a* en *b*, tandis qu'elle n'atteindrait pas d'une extrémité à l'autre d'un ados.

Plus on a de pente naturelle dans le sol, moins il faut d'abaissements et d'exhaussements, et plus le travail est facile.

Il ne faudra ni déblais ni remblais quand le terrain présentera une pente naturelle de

$0^m.13$	pour des planches	larges de	10	mètres.
$0^m.15$	»	»	8	»
$0^m.17$	»	»	6	»
$0^m.23$	»	»	4	»

Dans ces divers cas, les légères rugosités du sol seront seules à aplanir et toujours sans transports de terre.

La pente naturelle la plus forte qui permette d'esquiver un remaniement de terres est de $0^m.30$ par 4 mètres ($0^m.07\frac{1}{2}$ par mètre); au delà de cette mesure les déblais et remblais sont absolument nécessaires.

Dans le cas où la pente naturelle excéderait $0^m.30$ pour chaque planche de 4 mètres, on procéderait comme suit : Supposons que cette pente soit de $0^m.45$, on devrait prendre la pente la plus considérable qu'on puisse admettre, soit $0^m.30$, et la soustraire de $0^m.45$; il resterait $0^m.15$.—Pour mettre ceci en pratique, il suffit d'enlever en *a* (fig. 58) $0^m.075$ de terre pour les déposer en *b*, et le problème sera résolu.

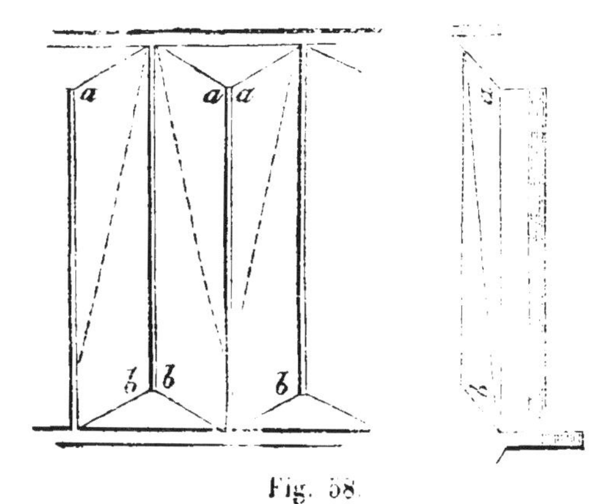

Fig. 58.

Exposition des planches.

L'exposition au midi est la plus avantageuse; mais on doit généralement se contenter de celle naturelle au sol, car un changement d'exposition est une opération très-dispendieuse.

La fig. 59 représente le dessin d'un pré cultivé en

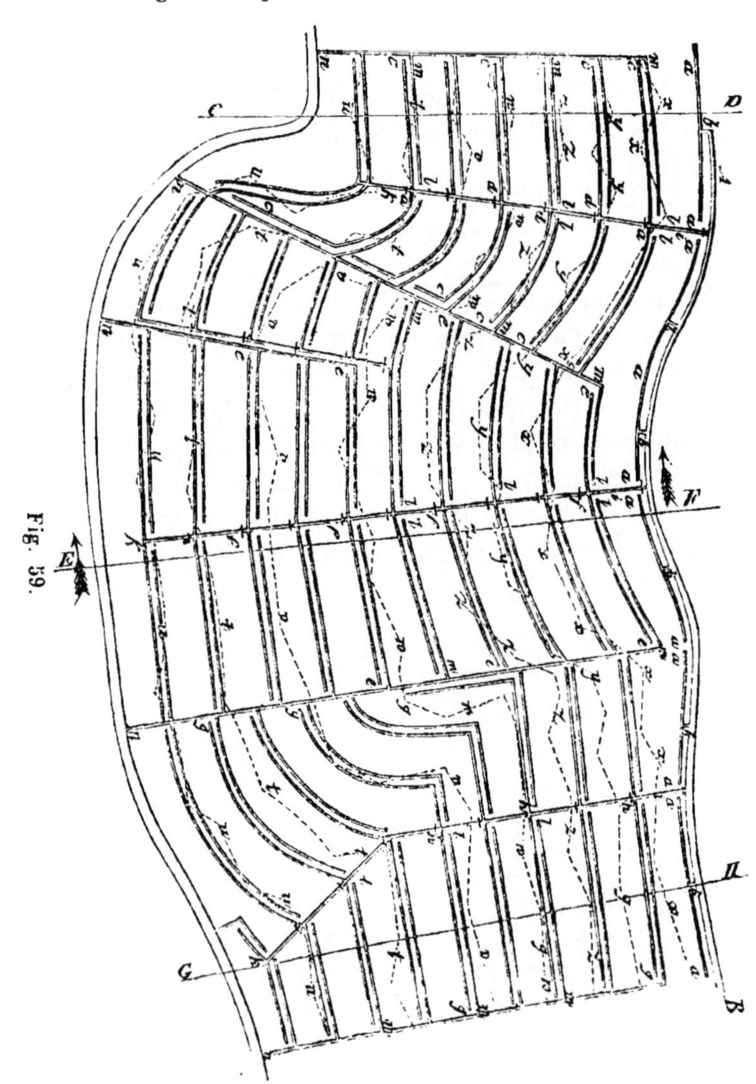

Fig. 59.

plan incliné; AB est le fossé alimentaire; *aa*, *aa* sont de petites rigoles alimentaires qui servent à l'arrosement des planches les plus élevées, lesquelles ne peuvent, en aucun cas, être irriguées directement par le fossé alimentaire; *b*, *b* sont les petites tranchées qui relient ces rigoles *aa*, *aa* au fossé alimentaire.

Les lignes ponctuées *uu*, *vv*, *ww*, *yy*, *xx*, *zz*, indiquent les lignes horizontales qui déterminent la position des rigoles d'alimentation *cdc*, *efe*, *ghg*. — Les planches d'arrêt *ddd*, *fff*, *hhh*, dans les rigoles principales *ik*, *ik*, règlent l'affluence de l'eau. — Les rigoles de décharge *lm*, *lm*, *lm*, reçoivent l'eau qui a servi à l'irrigation et la déversent dans les fossés de décharge *mn*, *mn*, qui à leur tour se vident dans le grand canal d'écoulement des eaux.

La figure 60 (voir la page suivante) nous représente la coupe suivant CD, EF et GH de ce même pré.

Du creusement et du nivellement des rigoles d'alimentation et de décharge.

Ce n'est qu'après la confection des plans inclinés ou des ados qu'on établit les rigoles.

On commence toujours par les rigoles alimentaires; à cet effet on nivelle leur emplacement soit au sommet de l'ados, soit à la partie supérieure du plan incliné, puis on creuse à la bêche.

Si l'on travaille dans un pré cultivé en plan incliné, les gazons enlevés sont disposés régulièrement, l'herbe en dessous le long du bord inférieur de la rigole.

Les rigoles de décharge se creusent ensuite parallèlement aux rigoles alimentaires; la terre qui en provient est déposée le long du bord supérieur de ces dernières, afin de servir au rebordement des rigoles ou à leur endiguement.

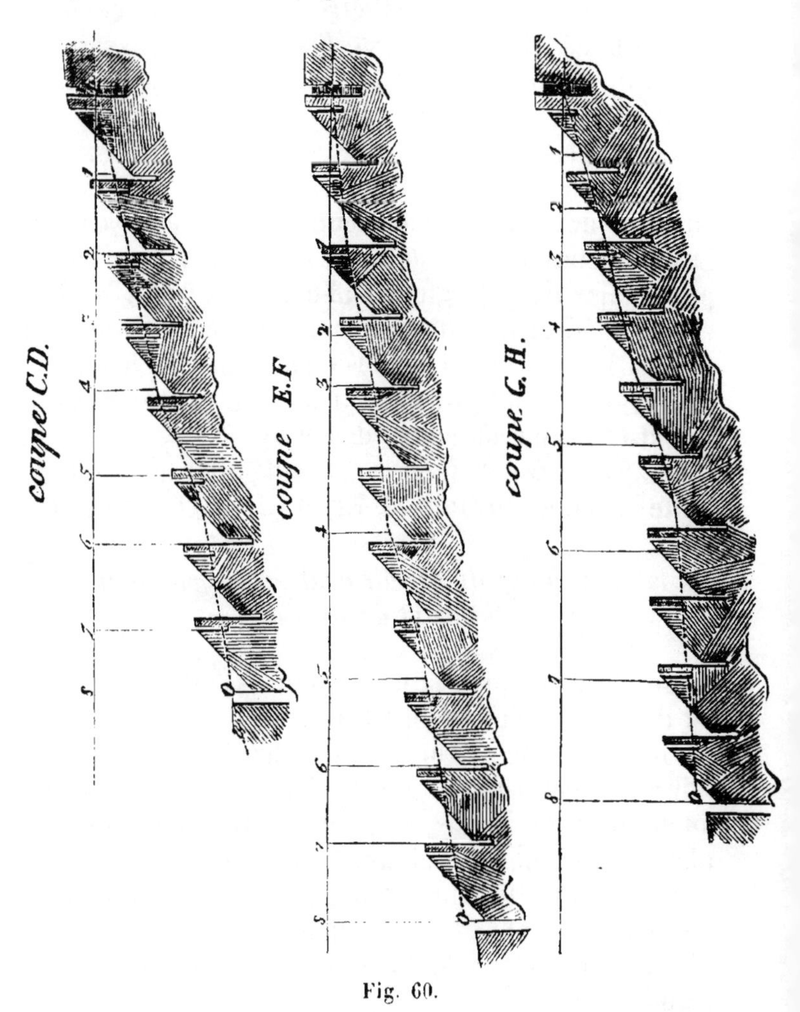

Fig. 60.

Le nivellement indiquera toujours s'il est nécessaire d'opérer des remblais ou des déblais pour obtenir l'horizontalité. On marque les hauteurs au moyen de pieux fichés dans le sol à la profondeur voulue.

Quand la rigole alimentaire est creusée, on y laisse entrer de l'eau jusqu'au bord ; cette opération indiquera de suite toutes les inégalités des bords de la rigole auxquelles il est indispensable de remédier immédiatement. Ce nivellement du bord des rigoles fait au moyen de l'eau est beaucoup plus expéditif que celui qu'on ferait au moyen d'un instrument quelconque.

Les rigoles de décharge se creusent et se nivellent de la même manière que les rigoles alimentaires.

Si le niveau d'eau baissait dans la rigole par suite de l'absorption de l'eau dans le sol, il serait bon de planter dans le milieu de la rigole un certain nombre de pieux coupés carrément à la surface de l'eau ; de cette façon on pourrait de temps à autre admettre un supplément d'eau dans la rigole, ce qui permettrait de continuer l'égalisation des bords sans crainte d'erreurs.

On suit les mêmes principes pour l'irrigation en ados que pour celle en plan incliné.

Pour creuser les rigoles de décharge parallèlement aux rigoles d'alimentation, il faut tendre des cordeaux, d'égale longueur, de distance en distance, entre la rigole d'alimentation et l'emplacement de la future rigole de décharge.

Du dégazonnement.

Avant de procéder au creusement des rigoles, il est toujours nécessaire d'enlever les gazons qui pourraient se trouver à la surface du pré.

Le procédé ordinaire de couper le gazon en petits morceaux rectangulaires longs de 0^m.30 à 0^m.35, comme l'indique la fig. 61, est moins bon que le suivant.

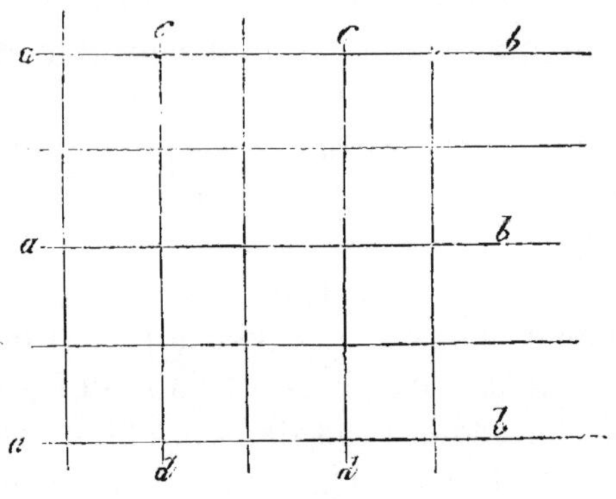

Fig. 61.

On doit couper le gazon en bandes longues de 4 à 5 mètres et larges de 0m.30; puis, au moyen du tranchant de la bêche, on les soulève par le dessous et on les roule à mesure qu'on avance. Pour que ce travail se fasse avec rapidité, il est bon d'y employer quatre ouvriers, l'un pour couper les gazons, deux pour les soulever et un pour les rouler, comme l'indique la fig. 62.

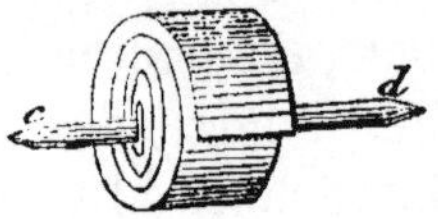

Pour transporter ces rouleaux on y introduit un bâton poli *cd* (fig. 62) qui peut être porté par deux hommes.

Fig. 62.

La meilleure épaisseur à donner aux bandes de gazon enlevées est de 2 à 4 centimètres.

Quand la vieille couche de gazon contient beaucoup de mousse, il est bon de laisser pendant quelque temps les gazons en monceaux; pendant ce temps les mousses meurent sans pour cela que l'herbe en souffre. On doit cependant prendre garde de ne pas prolonger cette opération à l'excès, sans quoi on pourrait faire périr l'herbe, ainsi que toute végétation.

Dans des terres sablonneuses médiocres, où généralement il n'existe pas de couche de gazon, on doit se contenter, au lieu d'opérer un dégazonnement, de détacher à la bêche toutes les plantes qui pourraient servir comme fourragères, et de les jeter sur le côté. Plus tard on répandra à la surface du pré ces touffes qui contiennent presque toujours de la graine de différentes espèces d'herbes, bonnes à conserver.

De l'aplanissement du pré.

Après avoir procédé à la confection des rigoles et au dégazonnement, on commence l'aplanissement du pré, qui doit se faire selon les principes que nous avons énoncé, en parlant de l'irrigation en plan incliné ou en ados.

Les fonds doivent être comblés, les élévations aplanies. — Les transports de terre d'un point éloigné sont rarement nécessaires, la terre enlevée des hauteurs pouvant servir à combler les dépressions du même pré.

Ce travail d'aplanissement se fait en deux fois : on commence par une ébauche grossière, et l'on finit par un travail soigné, destiné à faire disparaître toutes les inégalités et rugosités du sol. On se sert, à cet effet, d'un cordeau fortement tendu depuis la partie supérieure de la planche ou du versant bordant une rigole d'alimentation jusqu'à la partie inférieure de cette planche ou de ce versant qui vient aboutir à la rigole de décharge. Toute terre qui dépasse le cordeau est enlevée ; tout espace vide est vu et rempli.

Quand on opère sur des terrains marécageux ou tourbeux qui sont déjà cultivés en prés et où le piétinement du bétail aurait produit une multitude de monticules irréguliers, il est souvent possible de faire disparaître ces éminences au moyen d'un roulage opéré après les dégels, alors que les monticules sont déjà dégelés, tandis que le sol environnant est encore dur.

Du gazonnement des prés.

Lorsque le sol est aplani, on remet en place les gazons qu'on en avait enlevés.

Quand leur texture assez compacte aura permis de les rouler, l'opération sera très-facile. Il suffit à cet effet de placer un rouleau près du bord inférieur de la rigole d'alimentation, et puis de la dérouler vers la rigole de décharge; on place successivement un rouleau à côté de l'autre et l'on resserre les bandes de gazon au moyen de la fourche. Quand au contraire la consistance peu considérable du gazon n'aura permis de l'enlever que par morceaux, l'opération sera plus longue, mais ne présentera que peu de difficultés, surtout si tous les fragments sont d'épaisseur égale.— La seule précaution à prendre, c'est de ne pas recouvrir les angles d'un morceau de gazon par un autre morceau; il vaut mieux laisser des vides entre les fragments, vides qui disparaissent pendant le battage ou le roulage, que de produire des inégalités permanentes par un recouvrement de deux gazons.

Si les gazons dont on dispose sont insuffisants pour couvrir le pré, on doit se borner à en garnir le bord de la rigole d'alimentation et celle de décharge; l'espace intermédiaire devra alors être ensemencé lors de la première gelée avec de bon foin.

Quelquefois l'on établit des prés irrigués dans des sols tellement arides et sablonneux, que les gazons manquent entièrement, ainsi que toute autre végétation, et qu'on ne peut en amener d'ailleurs à cause de la distance; il ne reste dans ce cas que deux alternatives à prendre : ou bien de livrer le pré à l'irrigation pendant un certain temps, ou bien de le semer en bonne herbe. — Par le premier moyen, on obtient (mais seulement au bout d'un temps assez long) une végétation plus ou moins bonne. La seconde méthode est celle qu'on doit préférer pour avoir des récoltes promptes et réellement profitables.

Afin de donner la consistance nécessaire au sol pour qu'il puisse supporter l'irrigation, on doit semer dru afin que les nombreuses racines de la jeune herbe, en s'enlaçant, forment bientôt sous le sol une couche tenace que l'eau ne peut enlever.

Du semis des prés livrés à l'irrigation.

Lorsqu'on se trouve dans la nécessité de semer un pré destiné à l'irrigation, on doit bien choisir ses graines ou s'adresser à un marchand grainier connu et honnête, qui ne fournira pas, comme cela ne se pratique que trop souvent, de simples balayures de greniers, qui renferment toujours les semences d'une foule de plantes nuisibles, au lieu de bonnes graines.

Les mélanges suivants sont ceux que nous croyons pouvoir recommander.

1° Mélange pour un sol sablonneux :

Phleum pratense (thymoty) . . .	2	kilogr.
Agrostis vulgaris (agrostis commun) .	6	»
Holcus lanatus (houlque laineuse) .	4	»
Poa trivialis (pâturin commun) . .	6	»
Trifolium repens (trèfle blanc) . .	12	»
Medicago maculata (luzerne tachetée) .	3	»
Lathyrus pratensis (gesse des prés) .	3	»
Par hectare.	36	kilogr.

2° Mélange pour un sol sablonneux légèrement argileux.

Phleum pratense (thymoty). . . .	2	kilogr.
Poa trivialis (pâturin commun). . .	6	»
Festuca elatior (fétuque élevée) . .	6	»
Lolium perenne (ivraie vivace ou ray-grass).	4	»
Avena pubescens (avoine pubescente) .	3	»
Vicia sepium (vesce des haies) . .	2	»
Lotus corniculatus (lotier corniculé) .	2	»
Trifolium pratense (trèfle rouge) . .	10	»
Par hectare (au moins).	35	kilogr.

3° Mélange pour un terrain calcaire.

Bromus pratensis (brome des prés) .	5	kilogr.
Dactilis glomerata (dactyle gloméré) .	4	»
Avena elatior (fromental)	4	»
Lolium perenne (ray-grass). . . .	2	»
Poa trivialis (pâturin commun) . .	9	»
Poa pratensis (pâturin des prés) . .	2	»
Poa angustifolia (pâturin à feuilles étroites)	2	»
Medicago maculata (luzerne tachée) .	2	»
Trifolium pratense (trèfle des prés) .	6	»
Trifolium fragiferum (trèfle fraisier) .	4	»
	40	kilogr.

4° Mélange pour un sol argileux.

Phleum pratense (thymoty). . . .	2	kilogr.
Alopecurus pratensis (vulpin des prés).	4	»
Poa trivialis (pâturin commun) . .	9	»
Festuca pratensis (fétuque des prés) .	4	»
Festuca elatior (fétuque élevée) . .	3	»
A reporter. . .	22	kilogr.

Report. . . .	22	kilogr.
Peucedanum officinale (peucédan officinal).	3	»
Medicago maculata (luzerne tachetée) .	2	»
Trifolium pratense (trèfle rouge) . .	10	»
Lathyrus pratensis (gesse des prés).	2	»
Vicia sepium (vesce des haies). . .	2	»
	41	kilogr.

Les quantités de graines indiquées dans ces mélanges ne sont qu'approximatives; l'agriculteur pourra les modifier selon qu'il l'entendra.

C'est au printemps qu'on doit semer; le mois de mars paraît l'époque la plus favorable. On sème à la volée en ayant soin de faire plusieurs mélanges de semences, c'est-à-dire de réunir toutes celles qui sont du même poids et à peu près du même volume, afin de pouvoir semer à diverses reprises, car si l'on agissait autrement, les graines les plus légères seraient les premières semées et le fond du sac ne contiendrait que les plus grosses que le tassement aurait amenées dans le point le plus bas. Il faut, s'il est nécessaire, semer deux ou trois fois en recouvrement. Si, dans les graines semées, il s'en trouvait d'assez grosses, par conséquent demandant d'être recouvertes d'une certaine quantité de terre, et d'autres très-fines, on commencerait par semer les plus grosses; on donnerait un hersage, puis on sèmerait les plus fines, et l'on ferait un tour de herse, ou seulement de rouleau.

Afin d'ombrager les jeunes plantes, il faut semer les graines destinées au gazonnement du pré avec des céréales. L'avoine paraît l'une des meilleures plantes pour cet usage: on fauche l'avoine en fleur et on l'emploie pour fourrage. Le sarrasin offre également un assez grand avantage comme plante protectrice;

on arrache le sarrasin lorsqu'il est en graine.—Si le sarrasin venait à verser, on devrait de suite le faucher pour éviter que les jeunes plantes d'herbe n'en soient étouffées.

Du battage ou damage des gazons.

Après avoir terminé le gazonnement ou après avoir répandu à la surface du sol les quelques herbes et racines qui pouvaient s'y trouver, on introduit l'eau par un premier arrosement. Cette irrigation ne doit être ni forte ni prolongée, car l'eau entraînerait la terre ameublie; elle doit seulement être suffisante pour pénétrer et ramollir autant que possible les surfaces des versants ou des planches. — Ce but étant atteint, on laisse écouler l'eau, puis on bat (au moyen de la batte) ou l'on dame (au moyen de la dame) toute la surface du pré de manière à faire entièrement disparaître toutes les inégalités.

On doit user de prudence en battant le bord des rigoles afin d'éviter des éboulements qui arrivent facilement.

De l'emploi réitéré de l'eau.

Comme nous l'avons vu dans notre chapitre sur *l'eau*, il est moins profitable de se servir de la même eau pour l'arrosement d'un grand nombre de pentes successives que d'employer de l'eau fraîche pour chacune de celles-ci.

Il est cependant des cas où la pénurie d'eau force l'irrigateur à utiliser plusieurs fois la même eau; dans ce cas, on doit laisser couler l'eau pendant un certain temps dans les fossés de décharge, et cela entre chaque utilisation; c'est ce qu'on appelle *l'irrigation par reprise d'eau.*

Pour employer à plusieurs reprises la même eau sur des plans successivement plus bas d'un même pré, on procède de diverses manières, selon le plus ou moins de pente du terrain.

Nous donnerons ici quelques exemples qui feront mieux comprendre la chose, et qui pourront servir de moyennes.

Soit la fig. 63 un terrain n'ayant qu'un millimètre de pente par mètre et cultivé en ados. — On devra arrêter l'eau dans le premier fossé de décharge pour la déverser dans un fossé alimentaire inférieur; ce premier fossé de décharge jouant, dans ce cas, le rôle de fossé principal aussi bien que de fossé de décharge. Un barrage force l'eau du fossé de décharge à entrer dans le fossé alimentaire qui lui est perpendiculaire. Les ados ayant huit mètres de largeur sont placés parallèlement dans toute la longueur de chacune des bandes *ab' d'c*, *ac*, *bb*, etc. — Le fossé de décharge devra recevoir son barrage lorsqu'il sera arrivé au point qui se trouve placé à 0m.30 plus bas (en profondeur) que le point jusqu'où se fait sentir la réaction de l'obstacle qui s'oppose au cours d'eau. La figure fera bien saisir ceci. — Soit un pré divisé en plusieurs compartiments ou divisions, comprenant chacun un certain nombre d'ados, parallèles entre eux, la pente naturelle du terrain n'étant que d'un millimètre par mètre. La première division principale consiste en six bandes d'ados dont les fossés alimentaires *ab*, *ab*, sont fournis d'eau par les fossés principaux *a*, *a*, *a*. L'affluence de l'eau dans ces fossés alimentaires est réglée par les petites écluses *a*, *a*, *a*, *a*. — Les rigoles alimentaires reçoivent l'eau des fossés alimentaires; cette eau, après l'arrosement, est recueillie par les rigoles de décharge, qui la versent dans les fossés de décharge *cd*, *cd*; ces derniers se réunissent ou plutôt

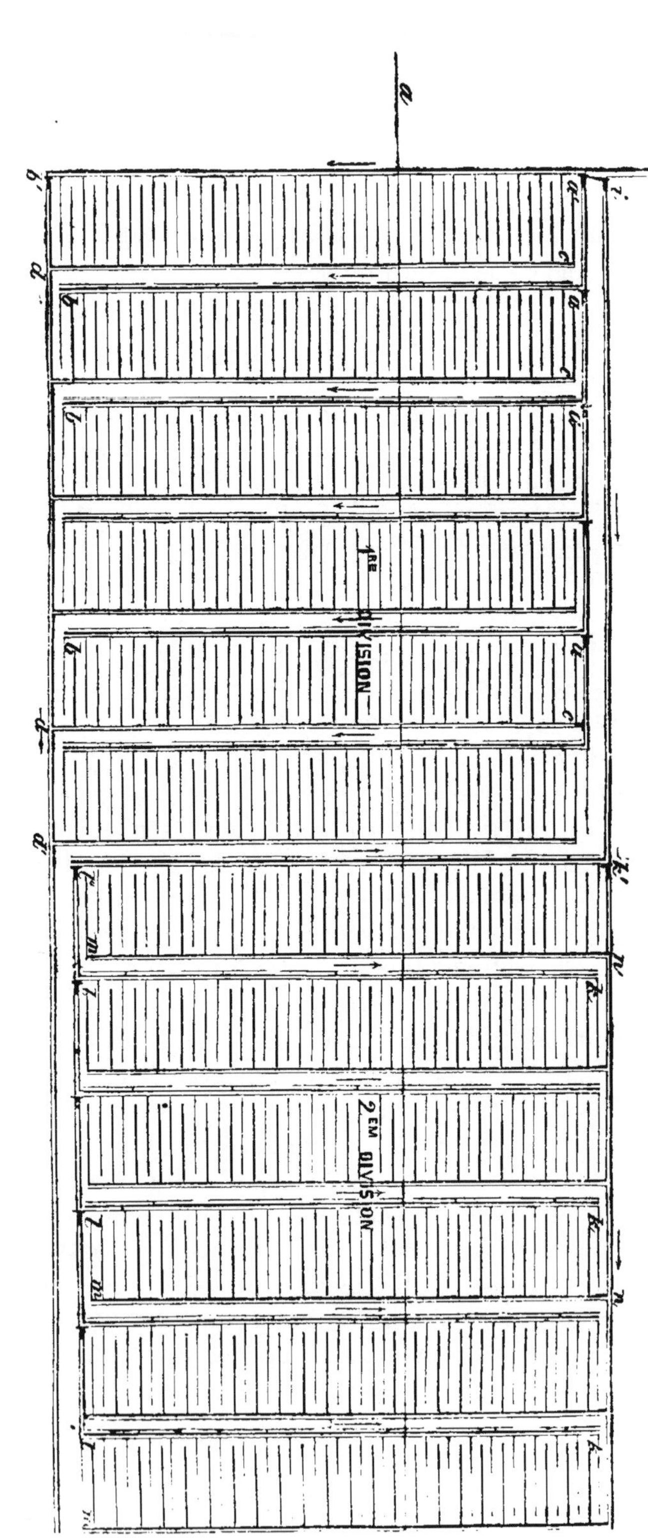

Fig. 63.

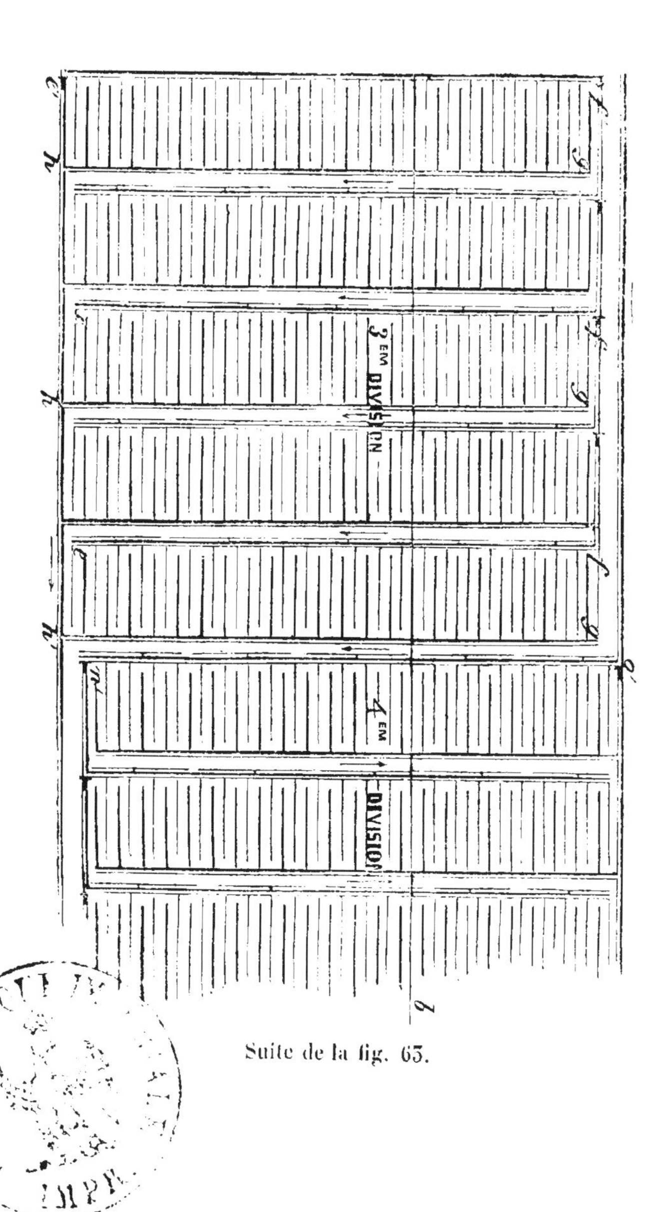

Suite de la fig. 63.

se terminent en *dd'*. Du point *d'*, l'eau doit être conduite à 300 mètres de distance et plus bas, afin d'obtenir les 0m.30 de profondeur au-dessous du point *d'* dont nous avons parlé plus haut. — Ce point se trouve en *c'*, où l'on établit un barrage. — Le fossé alimentaire *e' f'* sert en même temps de fossé principal.

C'est par la continuation de ce fossé jusqu'au fossé principal *f' fff* que sont alimentés les fossés alimentaires *fe*, *fe* de la troisième division. Les eaux qui ont servi à l'arrosement de cette troisième division se rassemblent de nouveau dans les fossés de décharge *gh*, *gh*, et se réunissant au point *h'* peuvent encore être utilisées plus bas dans une division dont le nivellement indique une profondeur de 0m.30 de plus que celle de la troisième division au point *h'*.—De la même manière que l'eau qui a servi à l'arrosement de la première division a de nouveau servi à l'irrigation de la troisième division, on peut employer l'eau qui a coulé sur la deuxième division pour l'arrosement de la quatrième division, et ainsi de suite. Une simple inspection attentive de la figure fera aisément comprendre ce que nous venons de dire sur l'emploi réitéré de l'eau sur un même pré à faible inclinaison d'environ 0m.001 par mètre.

Si la pente est plus forte, soit de 0m.004 par mètre, on procède un peu différemment, le terrain étant toujours cultivé en ados.

La fig. 64 nous fournit le dessin d'un pré de ce genre. L'eau ayant servi à l'arrosement de la première bande d'ados et qui s'est rassemblée dans le fossé de décharge *ab* fait tout le tour de la 2e division d'ados: elle rencontre au point *c* un barrage qui la force à se rendre dans le fossé alimentaire *cd*, et de là sur toute la 3e division d'ados.

La seconde division reçoit son eau par le fossé principal *ef*; cette eau, après avoir arrosé les ados de cette deuxième division, se rassemble dans les fossés de décharge *gh* et coule de là en faisant le tour de la troisième division jusqu'au point *i*, où un barrage la fait passer dans le fossé alimentaire *i*A, qui fournit de l'eau aux ados de la quatrième division. Au point A de la figure 64, les ados sont exhaussés de $0^m.04$, tandis qu'au point B le sol en est abaissé d'autant. La distance de *b* en *c* est de 48 mètres avec une pente naturelle de $0^m.24$. Il reste à retrancher de là $0^m.08$ pour l'exhaussement et l'abaissement des ados; les fossés de décharge *ab*, *gh*, *kl* tiennent encore $0^m.16$ quand on répand l'eau pour l'irrigation.

Si l'on était forcé d'économiser l'eau encore plus, on devrait raccourcir les ados.

Si la pente du terrain est de $0^m.006$ et que l'on établisse l'irrigation en planches ou en plan incliné, on procédera comme suit :

Les planches sont supposées larges de 4 mètres (la figure 65 représente cette disposition). La première division principale consiste en sept, huit ou neuf planches irriguées par l'eau des rigoles alimentaires *ab*, *ab*. Celles-ci reçoivent leur eau du fossé alimentaire par les rigoles principales *cd*, *cd*. Après l'arrosement l'eau est reçue par les rigoles de décharge *efe*, et conduite par les rigoles de décharge supplémentaires *fff* jusqu'au fossé de décharge *gh*. Toute cette eau est réunie au point *h*, d'où elle est dirigée sur *i* en bordant la deuxième division de planches. L'eau entre alors dans le fossé alimentaire *ik*, où elle sert à l'arrosement de la troisième division, laquelle présente la même disposition que la première.

Par le même artifice, l'eau qui sert à l'irrigation de la deuxième division sert encore sur la quatrième, sur la sixième, etc. L'inspection de la figure fera aisément saisir tout ce que nous venons de dire.

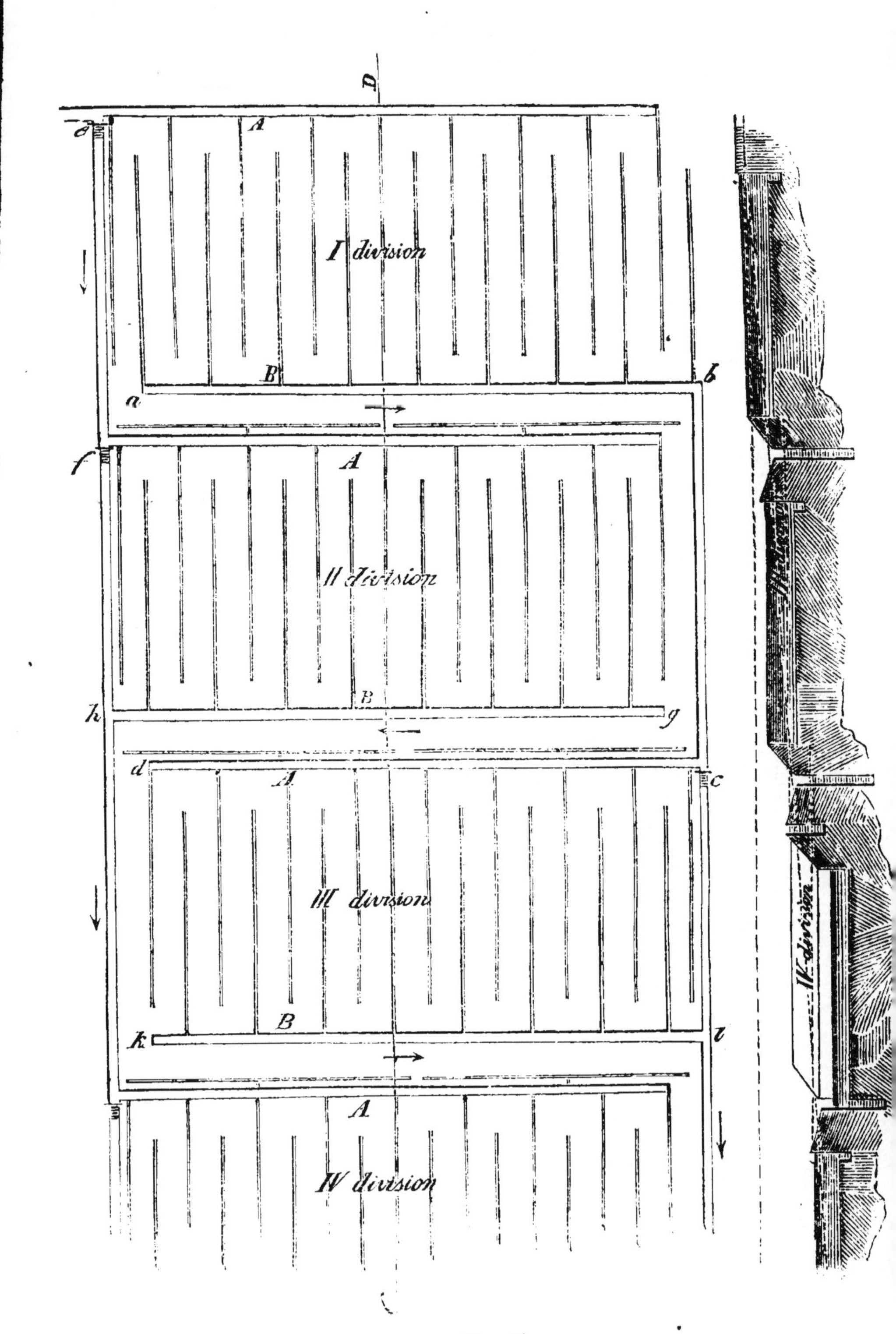
D
A
I division
a
B
b
f
A
II division
B
h
g
d
A
c
III division
B
k
l
A
IV division
III division
IV division

Fig. 64.

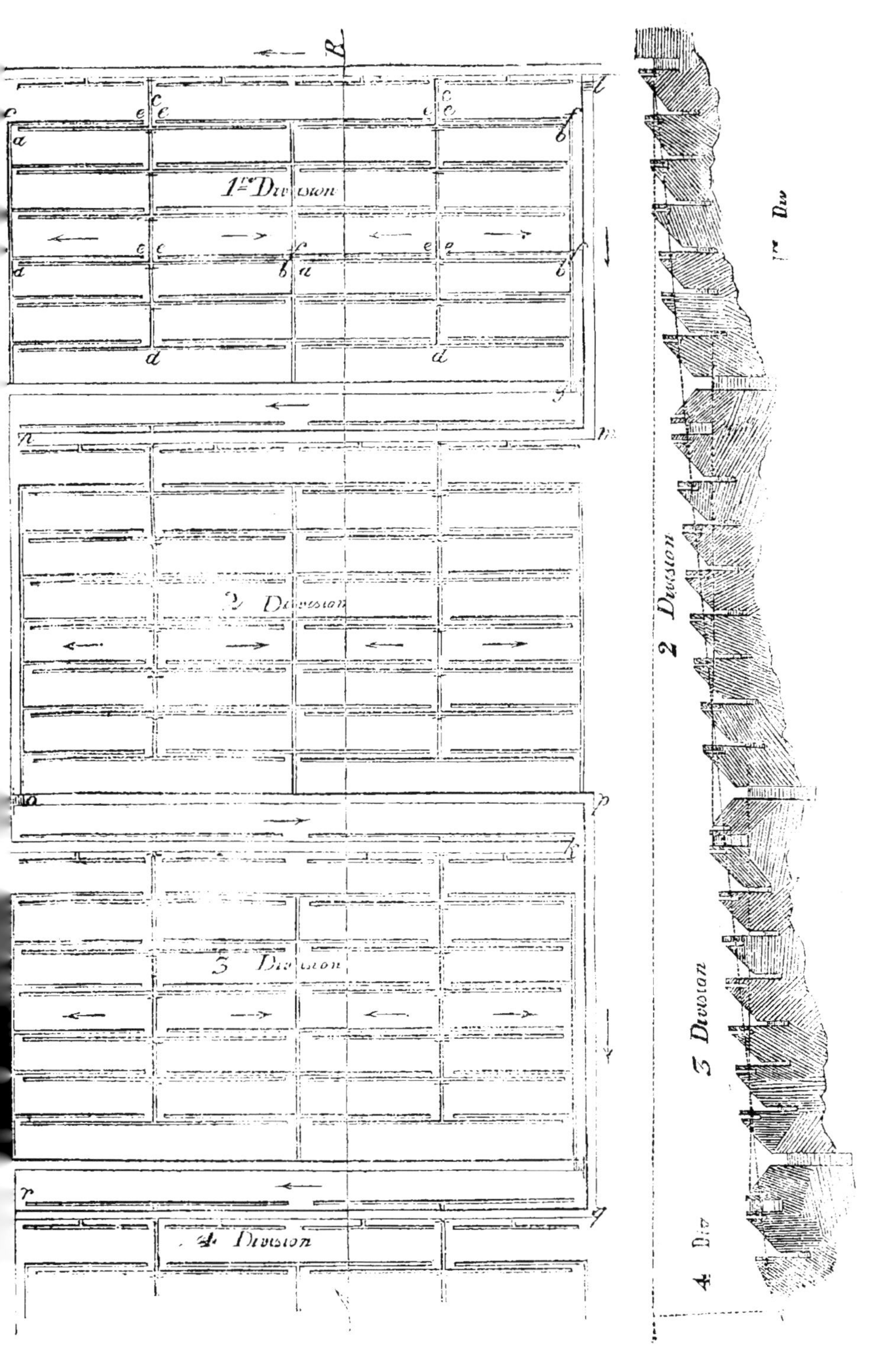
B
1re Division
2 Division
3 Division
4 Division
1re Div
2 Division
3 Division
4 Div

Fig. 65.

9.

Quand la pente du terrain égale 0m.025 par mètre, l'emploi réitéré de l'eau peut se pratiquer au moyen de petits fossés placés sur des planches larges de 8 à 12 mètres, comme l'indique la figure 66.

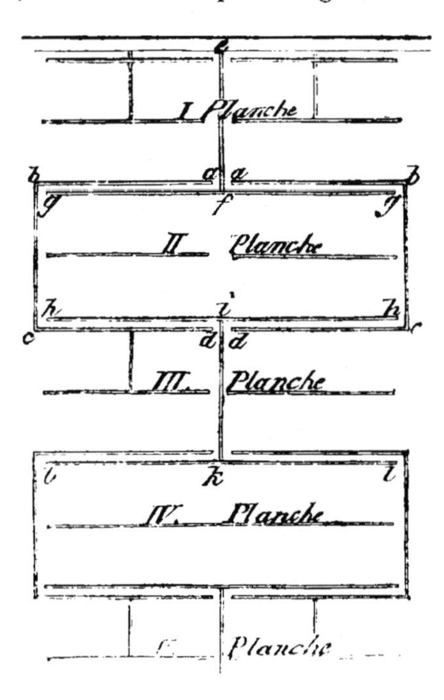

Fig. 66

L'eau qui a irrigué la première planche est amenée dans les rigoles de décharge *abc* en faisant le tour de la deuxième planche, et sera plus basse en *cd* de 0m.30 qu'en *ab*, car le terrain présente 30 centimètres de pente naturelle par 12 mètres. L'eau amenée à la deuxième planche par la rigole principale *ef*, et répandue sur cette planche par la rigole alimentaire *gfg*, est rassemblée par la rigole de décharge *hih*, qui la conduit directement à la quatrième planche par la rigole principale *ik*, et ainsi de suite sur toute l'étendue du pré.

On ne doit pas perdre de vue, lorsqu'on se sert de l'eau à plusieurs reprises successives, que plus l'espace que cette eau aura parcouru sur le pré sera limité, et plus aussi son effet bienfaisant sera grand sur la production du foin.

De la construction de bassins ou étangs de rassemblement.

Les étangs et les bassins sont des constructions auxquelles on doit quelquefois recourir dans le but de rassembler et de retenir les eaux que l'on veut employer en irrigations, et qui, sans ces travaux, s'écouleraient improductives.

On ne doit en général placer des bassins (à la partie la plus haute du pré) que là où une source abondante fournit de la bonne eau et où le sol accidenté peut diminuer les frais de construction; leur usage, dans ce cas, permet les irrigations aux eaux grasses. A cet effet, on verse du purin par tonnes ou quelques charretées de fumier dans l'étang; l'eau qui en sort est dirigée dans le canal principal, et de là dans les fossés et les rigoles alimentaires. L'action bienfaisante de ces eaux riches en principes fertilisants est trop manifeste pour qu'il soit nécessaire d'en faire ici l'éloge. Dans les sols sablonneux épais et perméables, on ne doit jamais tenter le creusement de bassins; leur exécution serait ruineuse.

Quand on peut amener des eaux sur un terrain qui domine celui à irriguer, on peut se borner à y creuser un bassin, en faisant servir les terres du déblai à l'exhaussement de ses bords.

Dans ce cas, le travail est facile et n'exige guère

d'art; seulement, il faut avoir soin de bien piocher toute la superficie des bords qui doivent être rechargés avec les déblais, pour assurer leur liaison avec le sol naturel, et ensuite de bien faire marcher ou pilonner les remblais par couches successives, en les arrosant, si le terrain n'est pas assez humide, pour qu'elles puissent se bien lier par la pression.

La seconde précaution à prendre est de ne pas creuser verticalement les bords du bassin, mais de leur donner intérieurement une pente suffisante, qui dépend de la nature du terrain; elle doit être telle que l'on soit assuré qu'ils ne s'ébouleront pas sous la charge des remblais, quand ils seront baignés et amollis par les eaux. Il convient de laisser, entre le pied des remblais et la crête des talus du déblai, une banquette de 0m.30 au moins et de 0m.50 au plus, de gazonner les parties intérieures des remblais et de les bien piqueter. Il ne faut planter sur ce remblai aucun arbre, mais seulement des haies, si on veut empêcher les gens et le bétail de s'y rendre. (La figure 67 représente la coupe d'un de ces bassins.)

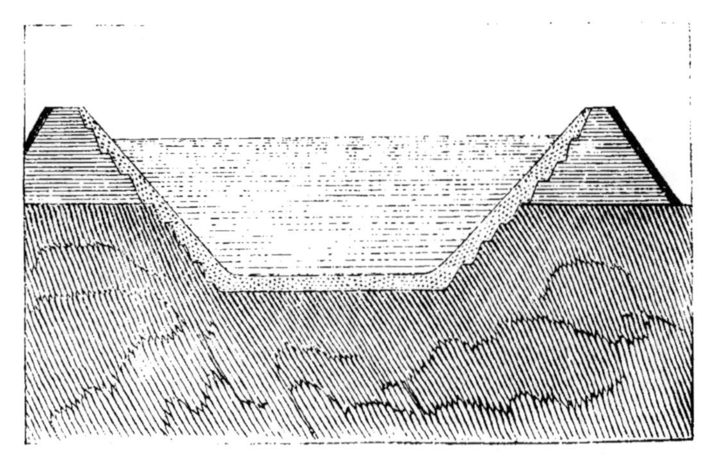

Fig 67

Quand le terrain du fond et des côtés du bassin est gras et consistant, il suffit de le bien pilonner, après l'avoir mouillé. Lorsqu'il est perméable, il faut y remédier. On atteint ce but par l'emploi d'un mélange de sable et d'argile ou de glaise dont on tapisse le bassin et que l'on pilonne. Le meilleur mélange est celui de 5 à 6 parties de sable pour 1 d'argile et 1/10 de chaux réduits à l'état de bouillie.

CHAPITRE VIII.

DES DIGUES, BARRAGES, ÉCLUSES, ETC.

Dans toute entreprise d'irrigations on a besoin d'arrêter l'eau, soit pour la faire monter à la hauteur voulue, soit pour en régler l'écoulement. La grandeur, la force, etc., des travaux d'arrêt, sont subordonnés à la masse d'eau qu'ils sont destinés à retenir ou à laisser passer, ainsi qu'à la hauteur du niveau de cette masse.

La connaissance des meilleures constructions et l'estimation exacte de leurs proportions sont les premiers objets dont l'irrigateur doit s'occuper.

Des écluses.

Les écluses ne servent qu'à arrêter l'eau temporairement. C'est pourquoi elles sont munies de planches ou pelles mobiles, qui, lorsqu'elles sont placées, empêchent entièrement ou partiellement le passage de l'eau, tandis qu'elles la laissent couler librement dès qu'on les enlève ou qu'on les ouvre.

L'affluence de l'eau peut être réglée à volonté par le plus ou moins d'ouverture des vannes ou pelles.

Une écluse est nécessaire là où un cours d'eau de force extraordinaire peut compromettre la conservation des travaux, là où un arrêt permanent peut occasionner des inondations sur les propriétés voisines (ne fût-ce même que momentanément lors des fortes crues d'eau). Il en faut presque partout, dans le lit des rivières et des ruisseaux. Il en faut encore pour régler la distribution de l'eau dans une entreprise d'irrigation, et pour résister à la pression des courants, ainsi que pour préserver d'une affluence d'eau hors de propos.

Les écluses appartiennent à la classe des travaux hydrauliques dont l'effet est le plus certain, mais en même temps le plus coûteux.

On distingue deux genres d'écluses, celles en bois et celles en pierres.

De la position des écluses.

Lorsqu'on choisit l'emplacement d'une écluse, on doit veiller à ce que la direction du courant au milieu de la rivière ou du ruisseau soit perpendiculaire au mur principal de l'écluse formé de pieux ou pilotis, afin que, lorsque la vanne sera ouverte, l'eau en sorte selon la même direction.

Sans cette précaution, le courant, se rejetant de côté, dégraderait les bords du cours d'eau soit au-dessus, soit en dessous de l'écluse, et l'eau finirait par se faire jour autour de celle-ci.

On devra choisir l'emplacement de l'écluse dans

une rivière ou dans un ruisseau, à l'endroit où le lit est à peu près droit.

L'écluse devra être construite perpendiculairement à la direction du courant.

Si l'on se trouvait dans la nécessité de construire l'écluse dans le lit même de la rivière, on commencerait par établir des digues de barrage transversales au-dessus et au-dessous du point dont on a fait choix, et cela pour empêcher que l'eau n'endommage les ouvrages avant leur terminaison, puis l'on creuserait sur le côté un fossé provisoire pour livrer passage à l'eau.

L'eau située entre les deux barrages est épuisée par des pompes, des seaux ou des vis d'Archimède.

Les détails relatifs à la construction des digues dans les divers genres de terrain devront être étudiés dans les traités sur l'hydraulique.

On peut souvent éviter la construction très-dispendieuse de ces digues de barrage; cela a lieu lorsque la rivière ou le ruisseau présente des sinuosités notables. On peut alors placer l'écluse comme le représente la figure 68; à cet effet, on commence

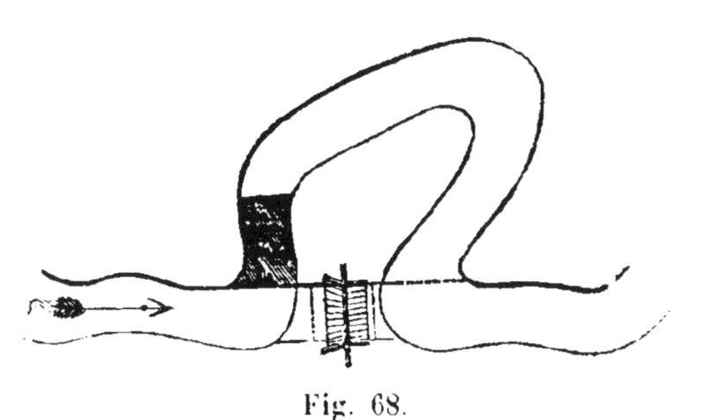

Fig. 68.

par creuser à la largeur et à la profondeur voulue le fossé dans lequel on doit la construire, et l'on ne fait la percée que lorsque l'écluse est déjà montée.

Si l'écluse sert à arrêter l'eau dans le ruisseau afin de la faire entrer dans le canal principal, il est bon de l'établir à 15 ou 20 mètres au-dessous de l'embouchure de ce fossé; le bloc de terre situé entre le fossé et le ruisseau conservera par là assez de force pour résister à la pression de l'eau.

Il en est de même de l'écluse placée dans le canal principal et qui sert à régler l'affluence de l'eau qui sort de celui-ci; cette écluse doit être construite à quelque distance du ruisseau et non à l'embouchure du canal avec celui-ci.

Des vannes d'irrigation ou écluses en bois.

Les vannes en bois sont formées de trois parties principales; ce sont :

1° Les empatements;

2° L'auge;

3° Les pelles.

Nous étudierons successivement chacune de ces parties :

1° *L'empatement* est formé de pieux (figures 69 et 70, AA); ces pieux sont enfoncés perpendiculairement et à côté les uns des autres, de manière à s'emboîter étroitement, comme on le voit en *aa* (figures 69, 70 et 71). Ces pieux pour les grandes vannes sont construits en bois de chêne ou en sapin; plus le sapin est résineux, et plus il est durable. Ces pieux doivent avoir une épaisseur de $0^m.22$ à $0^m.32$.

Pour des écluses plus petites, on se sert de pieux plus faibles en bois mi-plat, ayant seulement $0^m.12$ à $0^m.15$ d'épaisseur, comme le montre la figure 72.

Les pieux présentent d'un côté une saillie ou carène, de l'autre une rainure dans laquelle se loge la carène correspondante du poteau voisin; cette rainure est large de 5 à 6 centimètres.

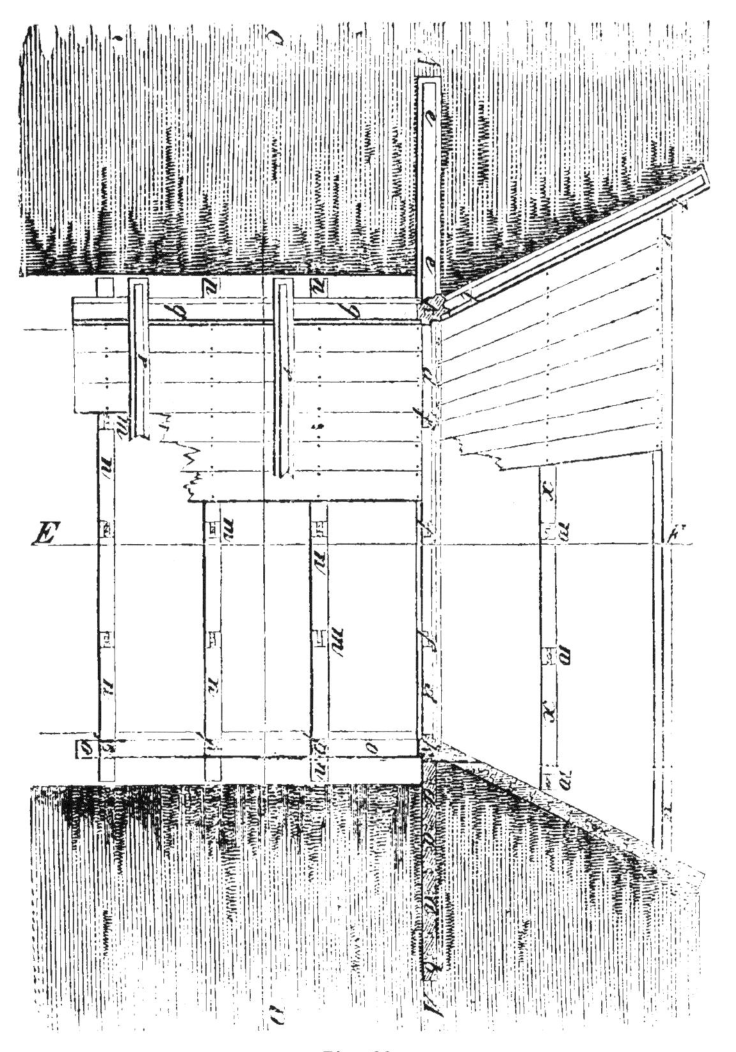

Fig. 69.

Quand on travaille avec soin, les poteaux sont rabotés et s'emboîtent étroitement, de façon à ne pas laisser passer d'eau. La longueur des pieux se

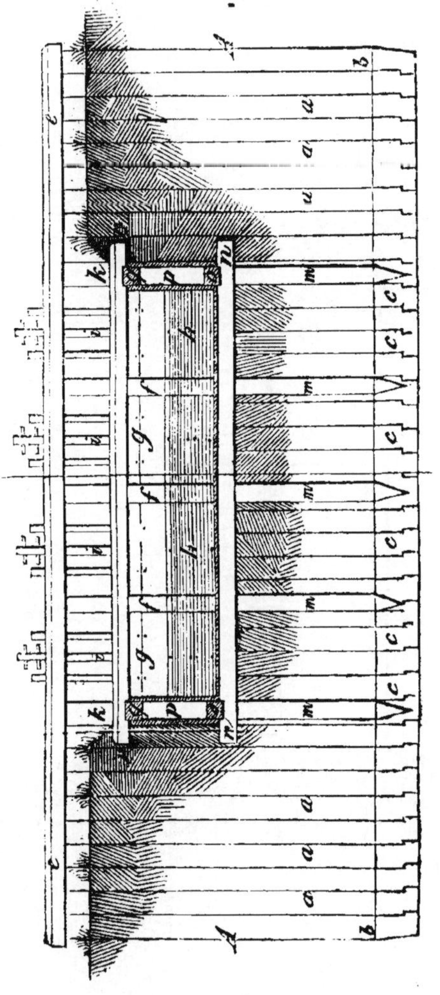

Fig. 70.

règle d'après la nature du sol; si celui-ci est de consistance ferme, ils ne doivent pas pénétrer à plus de

2 mètres en dessous du fond de la rivière ou du ruisseau; en général, les pieux doivent pénétrer sous

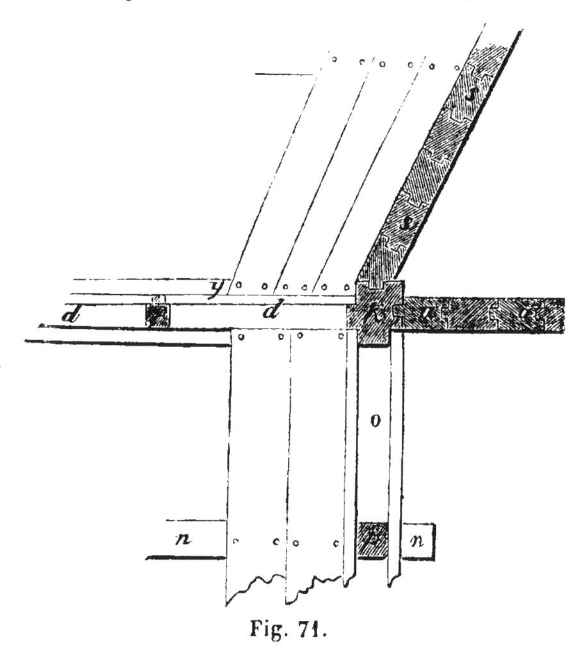

Fig. 71.

terre à une profondeur égale à la partie qui dépasse le fond du lit. Si le sol est marécageux ou tourbeux, les pieux doivent pénétrer jusqu'au sous-sol, afin de donner à la construction la stabilité nécessaire.

Fig. 72.

On place les pieux l'un à côté de l'autre dans un étau (fig. 73) consistant en deux morceaux de bois fortement unis. On les enfonce dans le sol au moyen d'un mouton.

Pour chaque quintal que pèse la masse du mouton, il faut trois ouvriers, ou plutôt dix hommes pour une masse de trois quintaux, plus un ou deux surveillants qui veillent à ce que les pieux s'enfoncent perpendiculairement dans le sol.

On bat l'empatement en commençant par les extrémités et en marchant vers le milieu; on n'enfonce

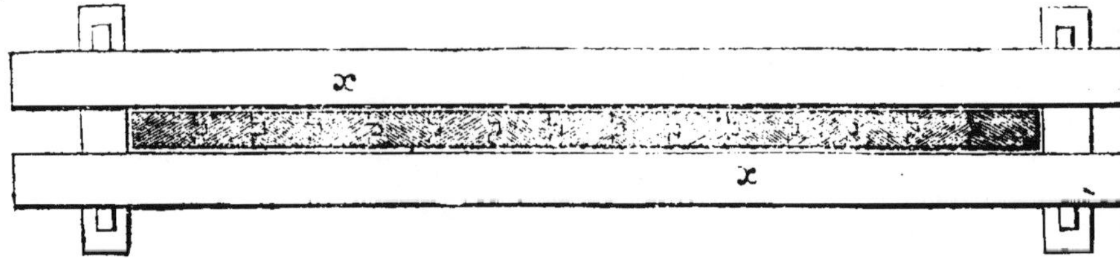

Fig. 73.

pas immédiatement chaque pieu jusqu'à la profondeur qu'il doit conserver, mais on dame peu à peu en répétant l'opération à diverses reprises successives sur chaque tête de pieu. Quand le sommet des pieux a baissé jusqu'à refus de mouton, on place entre la masse suspendue du mouton et le sommet de la tête du pieu un morceau de bois intermédiaire sur lequel on bat de nouveau.

Les deux pieux qui terminent l'empatement de chaque côté doivent toujours être les plus forts et équarris, c'est-à-dire aussi larges qu'épais.

Tous les pieux verticaux pris ensemble constituent l'empatement principal; cet empatement occupe toute la largeur de la rivière, et entre de chaque côté dans l'épaisseur même de ses bords.

La ténacité du sol des bords, la hauteur de l'eau, et surtout la mesure exacte des efforts et des résistances, sont les circonstances qui doivent guider pour la profondeur à laquelle cet empatement doit pénétrer; elle est d'ordinaire de 2 à 4 mètres.

Lorsque les pieux ont été enfoncés à la profondeur convenable, on chasse des tenons dans ceux qui passent sous le lit de la rivière et on les surmonte d'une forte pièce de bois cannelée large de 0m.28 à 0m.30 (fig. 74, *d*, et 70, *nn*). On la perce et on la fixe à l'empatement avec des crochets en fer, afin qu'elle ne puisse être bougée par l'eau. On doit veiller à ce que

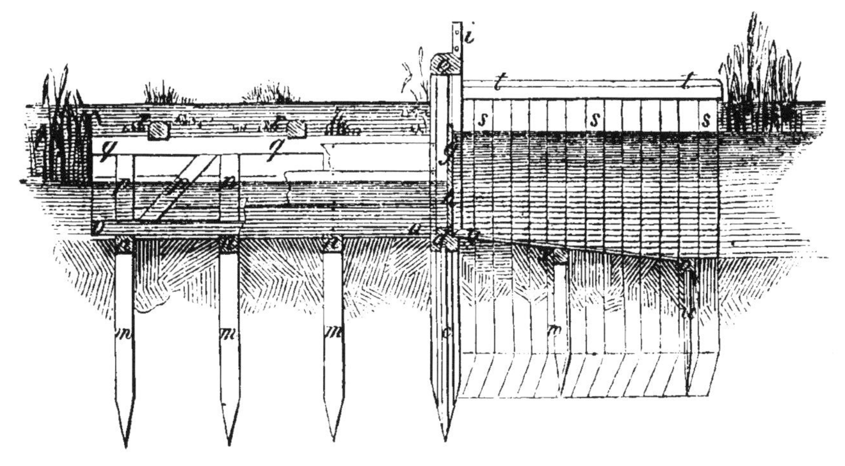

Fig. 74.

cette pièce soit placée assez bas, car les charpentiers, pour faciliter leur travail, sont souvent portés à la placer trop haut et à mal fixer les tenons.

Après avoir chassé des tenons dans les autres pieux, on pose une autre grande et forte poutre transversale en bois sur toute l'étendue de l'empatement; c'est la poutre du sommet (fig. 70 et 74, *ee*). On taille ordinairement les bords supérieurs de celle-ci obliquement, ou on les arrondit.

Il reste au milieu de l'empatement une large ouverture située entre la traverse *ee* et la traverse *d* ; c'est dans celle-ci que doivent être placées les pelles de l'écluse.

Lorsque cet orifice est fort large, on le divise en deux ou plusieurs compartiments au moyen de pièces de bois perpendiculaires *fff* (fig. 70) que l'on emboîte dans la partie inférieure de la traverse *nn* et qu'on enchâsse d'autre part dans la poutre du sommet *ee*.

On ferme alors ces parties au moyen de pelles formées de planches assemblées et clouées solidement sur un manche, auquel on donne 0m.09 à 0m.12 d'équarrissage. La largeur la plus convenable des pelles simples *gg*, *hh*, est d'un mètre, parce que quand elles dépassent cette largeur on ne peut plus les lever à la main sans de grands efforts. Les pelles sont construites en planches qui ont 0m.02 d'épaisseur ; on les fixe aux manches *i*, *i*, *i*, *i*, qui dépassent la poutre du sommet; ces manches servent à élever les pelles quand on désire livrer passage à l'eau. Quand la hauteur de l'eau est de 0m.75 ou plus, on divise les pelles de manière à ce que les vannes supérieures *gg*, placées au-dessus des vannes inférieures *hh* (fig. 70) puissent être ôtées séparément et sans difficulté.

Les pelles s'emboîtent dans des rainures pratiquées à cet effet dans les pieux intérieurs *kk*, dans la traverse du fond *nn* et dans les pieux des angles.

La hauteur du bord supérieur de la vanne doit être telle que la hauteur moyenne de l'eau de la rivière servant à l'irrigation coïncide avec elle, et que toute eau surabondante puisse passer par-dessus.

La sécurité de l'entreprise dépend de cette disposition.

Il est quelquefois bon de fermer les pelles avec un cadenas pour empêcher qu'elles ne soient levées ou abaissées mal à propos.

Dans la construction de petites vannes ou écluses, on peut généralement substituer aux pieux (du moins en partie) de simples planches, ce qui amène une grande économie de bois.

Ces planches (fig. 75, *a*, *a*, *a*) reçoivent une rainure de chaque côté dans lesquelles on fait entrer les autres planches *b, b;* mais comme le bois mince des planches ne pourrait longtemps résister aux al-

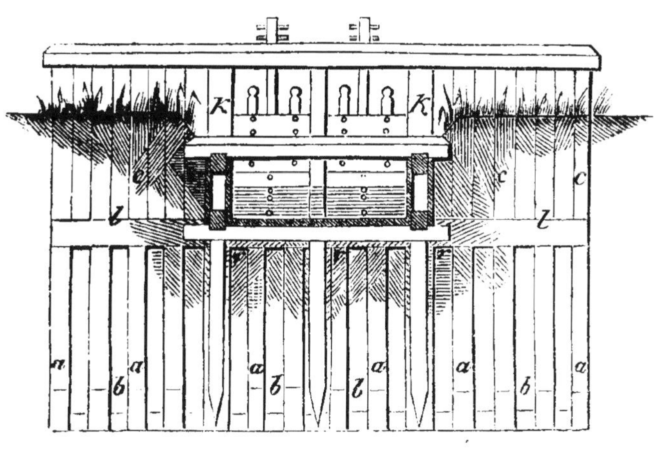

Fig. 75.

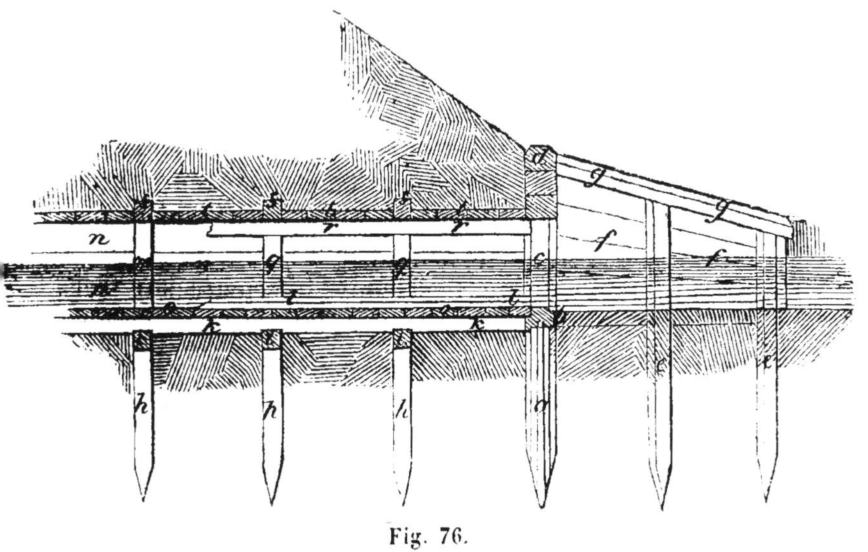

Fig. 76.

ternatives de sécheresse et d'humidité s'il était exposé à l'air libre, on ne construit l'empatement de cette manière que dans la partie sise constamment sous l'eau, les parties supérieures étant faites comme nous l'avons précédemment indiqué. A cet effet, l'on fait passer la traverse inférieure *l*, *l* (fig. 75), sur tout l'empatement, et l'on y fixe les deux pieux intérieurs *k*, *k*, puis les extérieurs *c*, *c*, lesquels sont en bois équarri comme à l'ordinaire.

2° *L'auge* se place à la partie inférieure du ruisseau en avant de l'écluse; elle est destinée à recevoir l'eau qui s'élance par l'orifice des vannes de l'écluse et à empêcher que cette eau, en retombant avec impétuosité, ne creuse le sol en avant de l'empatement et ne déchausse les pieux. On obtient ce résultat en plaçant au fond de l'eau une sorte de plancher en bois solidement construit et capable de résister à l'action de l'eau.

On commence par enfoncer des pieux pointus longs d'un mètre vingt à un mètre quarante centimètres à la distance d'un mètre à un mètre et demi l'un de l'autre (fig. 69, 70, 74). Ces pieux pointus n'ont pas besoin d'être équarris; pourvu qu'on leur ôte leur écorce, ils peuvent sans inconvénient rester cylindriques. On les amincit à l'extrémité inférieure sur trois ou quatre côtés (fig. 77); les pointes doivent être trois fois plus longues que le diamètre du bois et légèrement émoussées, afin de ne pas se briser.

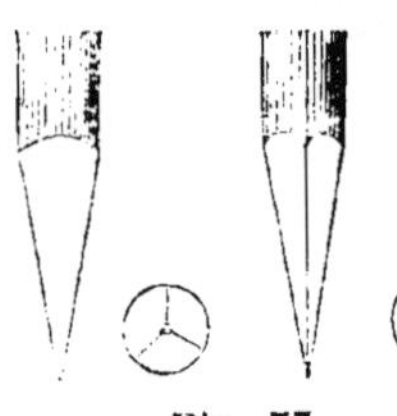

Fig. 77.

Après avoir enfoncé ces pieux à la profondeur requise, on y chasse des tenons et l'on y adapte des traverses *n*, *n* (fig. 69 et 71) parallèles à l'empatement.

Les tenons qui passent dans des mortaises percées en queue d'aronde, ou un peu plus larges vers le haut que vers le bas, reçoivent un petit coin de chaque côté, ce qui rend impossible l'enlèvement des traverses. Sur ces traverses *n*, *n*, on emboîte des linteaux *o*, *o*, parallèlement aux bords du courant et à partir des deux pieux *k*, *k*.

Les parois de l'auge sont perpendiculaires et soutenues par des pieux solidement fixés *p*, *p*. Ces pieux sont tenus aux bords par des crochets, des pinces et des affûts bien établis.

Le fond de l'auge doit être horizontal; on le recouvre de planches équarries, que l'on affermit au moyen de chevilles en bois ou de clous en fer.

La largeur de l'auge doit dépendre de l'ouverture des vannes; sa largeur ordinaire est d'environ quatre mètres.

Quand on construit des écluses plus grandes et qui sont destinées à livrer passage à de grandes masses d'eau, il est bon et souvent indispensable d'établir entre les ailes un plancher comme celui qui constitue l'auge; ce plancher doit s'attacher à un mur formé de pieux *v*, *u* (fig. 69). Il doit s'élever d'environ $0^{m}.12$ depuis ce mur jusqu'à son point de jonction avec la traverse inférieure de l'épatement de la vanne.

On pourrait aisément indiquer une multitude d'autres genres d'écluses et de vannes d'irrigation, mais toutes présentent trop peu de sécurité et entraînent à des frais trop considérables, à cause des réparations continuelles qu'elles demandent, surtout lorsqu'elles sont établies sur des cours d'eau de quelque importance.

Des écluses massives.

On construit rarement des écluses de ce genre à cause de la dépense qu'occasionne leur bâtisse. Au lieu d'être élevé avec des pieux, l'empatement, ainsi que l'auge et les ailes, sont construits en pierre, en moellons ou en briques.

Les fondations doivent être profondes quand le sol est tenace ; on doit bâtir sur pilotis là où le terrain est marécageux.

On protége ces murs par des parois construites en madriers et enfoncées dans le sol. Les murs sont consolidés par des crochets en fer.

Le plancher de l'auge et l'espace situé entre les ailes sont alors empierrés, les pierres ayant un volume suffisant pour que l'eau ne puisse les faire bouger.

Les pelles sont d'ailleurs établies comme nous venons de l'indiquer pour des écluses en bois.

Lorsqu'on a l'intention de construire des écluses massives, il est bon de consulter un homme de l'art, qui pourra donner de salutaires conseils et faire éviter des dépenses inutiles.

Des déversoirs.

Un déversoir est une espèce de digue permanente placée en travers d'un cours d'eau dans le but d'en élever le lit.

On peut construire les batardeaux ou déversoirs avec une foule de matériaux différents, comme les moellons, les briques, les pieux, les fascines, les gazons, etc.

Le batardeau doit être cinq fois aussi épais que haut.

La partie supérieure du batardeau est bombée de manière à laisser s'écouler l'eau par-dessus sans crainte de voir entraîner des fragments.

Les deux côtés doivent être courbes ou en pente pour empêcher que l'eau ne tombe perpendiculairement en débordant, chose qui amènerait la dégradation du lit et la destruction du batardeau.

La fig. 78 donne la coupe d'un déversoir.

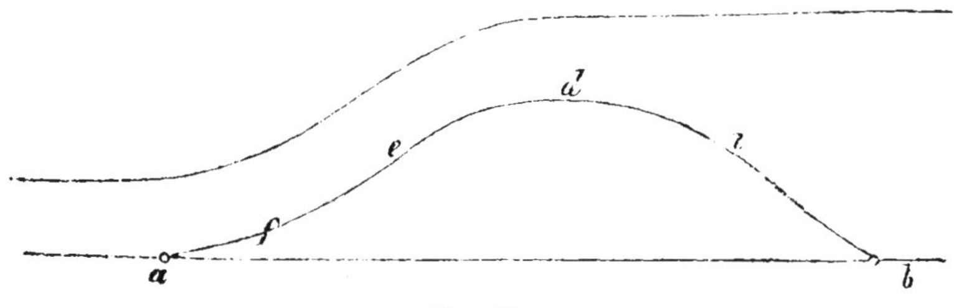

Fig. 78.

Il est bon de faire de bonnes fondations aux déversoirs, surtout lorsque le fond de la rivière est de consistance faible.

Des écluses situées dans des digues.

Les écluses couvertes, ou écluses situées sous une digue, servent à arrêter l'eau qui s'écoule de bassins, ou à détourner les cours des rivières ou des ruisseaux. On peut en établir sous des digues d'une épaisseur considérable.

On les construit ordinairement en bois d'après le système exposé précédemment pour la confection d'écluses en bois. — De chaque côté de la digue elles présentent un empatement en pieux et sont munies d'ailes ; le tout est mis en communication par un canal couvert, au-dessus duquel la digue se continue sans interruption. Le point essentiel dans cette construction, c'est de consolider les parois par de longs madriers, parce que ces parties ont un poids considérable à supporter.

On ferme l'écluse au moyen de pelles, si l'on a affaire à des eaux dormantes, ou de portes mobiles lorsqu'il s'agit de détourner des eaux courantes.

Ces portes se ferment d'elles-mêmes quand l'eau

du dehors dépasse une hauteur déterminée; elles s'ouvrent également d'elles-mêmes, dès que le niveau d'eau à l'intérieur est plus élevé qu'au dehors. La fig. 76 présente la coupe de la moitié d'une écluse de ce genre; la fig. 79 en représente le plan.

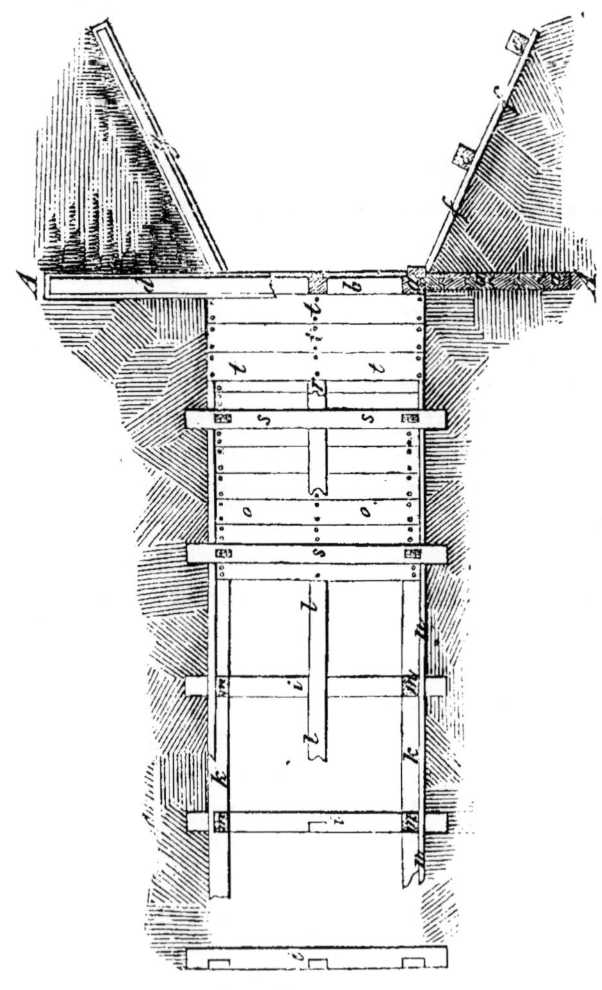

Fig. 79.

AA, empatement principal formé de pieux.
a, a, poteaux.
b, poutre inférieure de soutenement.
c, poteau angulaire servant à diviser l'ouverture.
d, poutre du sommet.
e, e, pieux pointus des bastions inclinés des ailes.
f, f, bois des bastions.
g, g, traverses du bastion incliné.
h, h, pieux pointus sous le fond du canal couvert.
i, i, traverses placées au-dessus.
k, k, solives des parois latérales du canal.
l, solive servant à consolider le sol du fond.
m, poteaux des parois latérales du canal.
n, n, bois mi-plat couvrant les parois latérales.
o, o, bordure du fond du canal.
p, solive passant au-dessus du milieu.
q, q, poteaux.
r, r, sommier pour soutenir le plafond et pour le protéger contre la pression latérale de la terre supérieure.
s, s, pinces servant à retenir les parois latérales du canal.
t, t, couverture faite en planches ou en bois mi-plat.

Des digues à caisse.

Les digues à caisse sont des tuyaux ou canaux carrés construits en planches; elles communiquent avec un entassement en terre, et servent à arrêter temporairement de petites masses d'eau dont la pression n'est pas trop forte.

Elles ne sont employées que là où l'on est entièrement maître de l'affluence de l'eau.

Les fig. 80, 81, 82, 83 montrent la coupe et le plan de différentes digues à caisse.

La fig. 80 est une digue à caisse large de 0m.30, haute de 0m.30 et longue de 2 mètres. Le plafond *b* et le fond *c* sont formés d'une seule planche, et sont cloués sur les pièces latérales *a, a.*

La couverture et les côtés sont soigneusement coupés à angle droit à leur partie

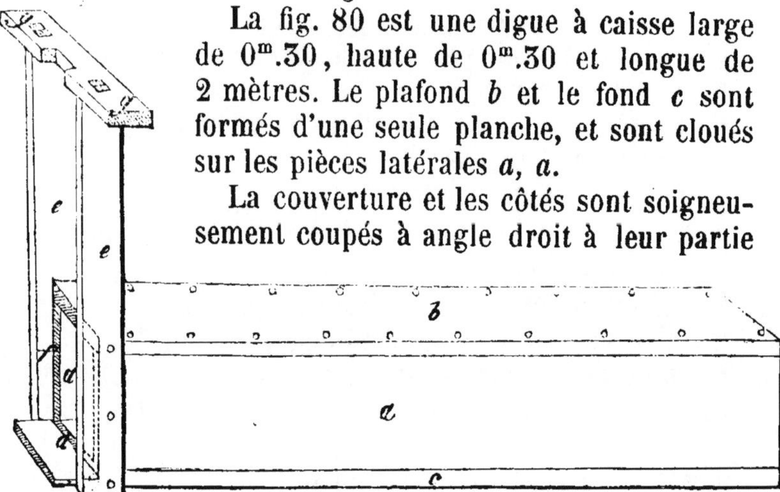

Fig. 80.

supérieure. La pelle est placée en avant, et afin de pouvoir la fixer en bas, on pratique une entaille au point *d* dans la planche du fond. A l'extrémité supérieure on cloue des morceaux de planche *e, e,* de 8 à 10 centimètres de largeur et de 0m.60 de hauteur, de manière à former une saillie de 4 centimètres en avant des planches latérales au point *f*, de façon à pouvoir retenir la pelle au-devant de l'ouverture; ces planches sont reliées entre elles par une traverse *g, g,* à laquelle est fixée le manche de la pelle. Cet encadrement antérieur sert en outre à donner un appui auquel on peut fixer la pelle (au moyen d'une cheville en bois), à la hauteur qu'on juge nécessaire.

La fig. 81 représente une digue à caisse haute de 0m.30 sur 1 mètre de largeur. — Chaque fois qu'une digue à caisse a plus de 0m.30 de largeur, le plafond et le plancher doivent être construits en planches équarries *a*, *a*, *a*, posées transversalement les unes à côté des autres. Pour le plafond l'on peut

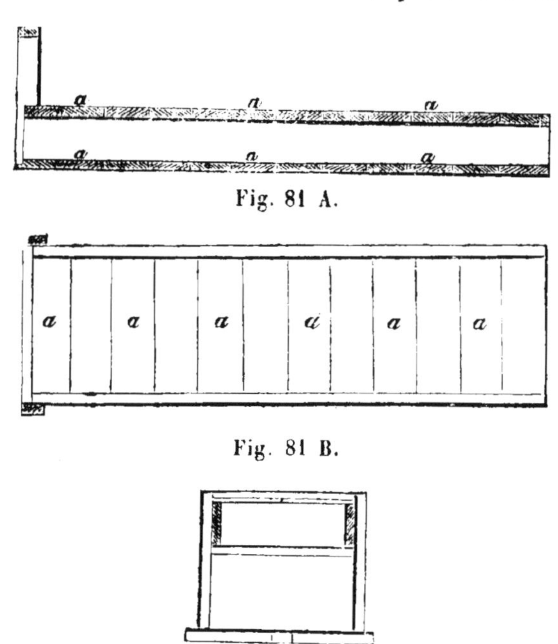

Fig. 81 A.

Fig. 81 B.

Fig. 81 C.

employer de forts madriers. Le reste de la construction est comme dans l'écluse décrite précédemment.

La fig. 82 est une digue à caisse large d'un mètre, et haute de $0^{m}.60$. Si dans ce cas les parois latérales étaient construites en planches légèrement posées les

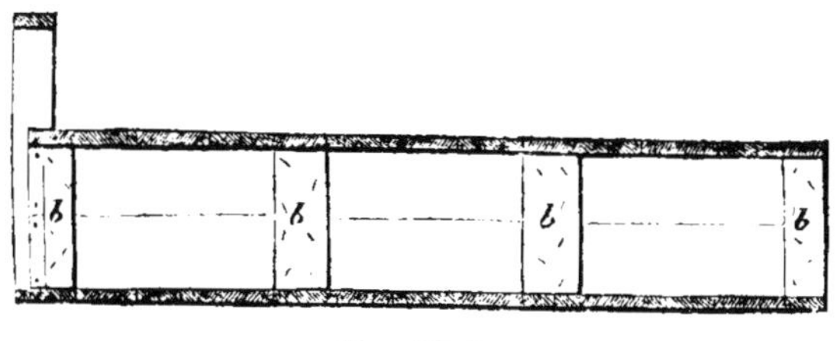

Fig. 82 A

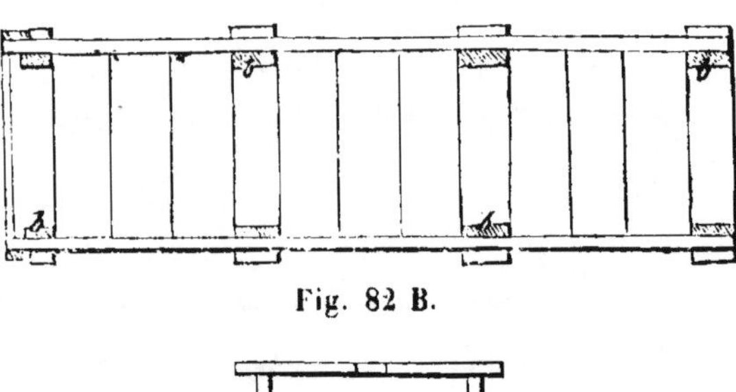

Fig. 82 B.

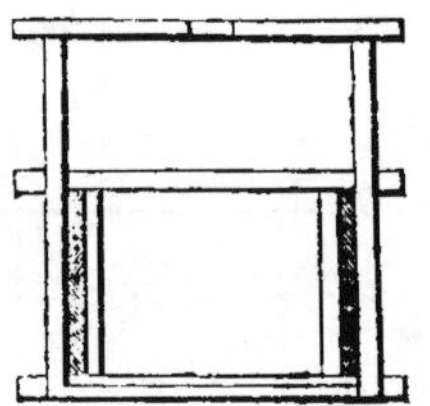

Fig. 82 C.

unes au-dessus des autres, la pression du dehors pourrait aisément les repousser vers l'intérieur; aussi doit-on les assujettir d'une autre manière. C'est à quoi sont destinés les morceaux de planches *b*, *b*, *b*, placés perpendiculairement à la distance d'un mètre trente centimètres les uns des autres ; on les fixe au moyen de tenons en haut et en bas. Les planches sont clouées du côté extérieur à ces soutiens. Le plafond et le plancher sont conformés comme précédemment.

La fig. 83 représente une digue à caisse large de deux mètres et haute de $0^{m}.60$; dans celle-ci le plafond a besoin d'être protégé contre la pression de la terre supérieure qu'il supporte.

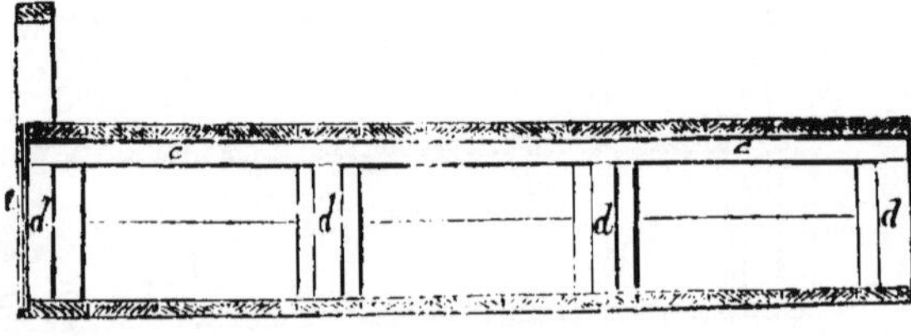

Fig. 83 A.

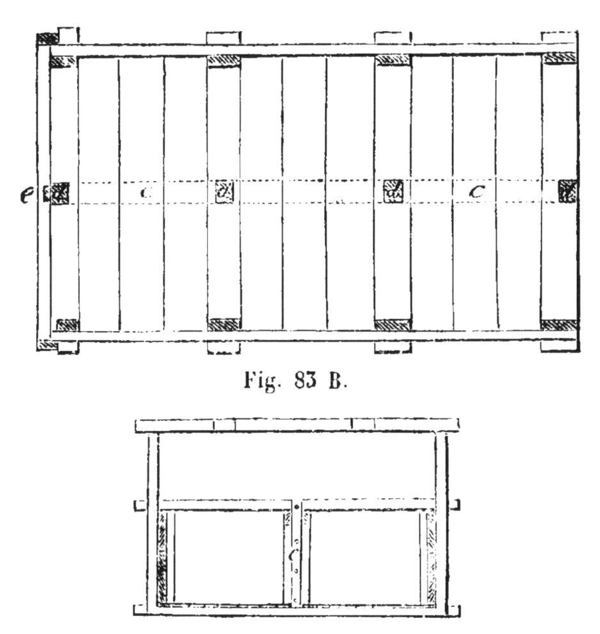

Fig. 83 B.

Fig. 83 C.

Le sommier *c*, *c*, en bois équarri de $0^{m}.08$ à $0^{m}.12$, porté par les supports *d*, *d*, qui sont emboîtés dans les planches du fond, remplit cette destination.

L'un des supports divise aussi l'ouverture de l'écluse en deux parties, entre lesquelles le linteau *e* cloué au support sert de paroi interne pour le placement de deux pelles.

La grandeur de l'ouverture de ces écluses doit se régler sur la quantité d'eau qui doit s'écouler à travers; on ne saurait préciser cette quantité, parce qu'elle est variable. Il est pour ainsi dire impossible de déterminer rigoureusement les masses d'eau qui traversent une écluse, en prenant pour base du calcul le profil transversal des digues à caisse.

Les canaux ou tuyaux des digues à caisse sont entourés et chargés de terre; ils servent de couloirs à l'eau, ainsi que de ponts lors de l'enlèvement des foins. Dans ce dernier cas ils doivent avoir au moins quatre mètres de longueur, et l'on doit prendre la précaution de les placer de manière que leur partie supérieure se trouve à deux mètres ou deux mètres et demi en arrière du fossé dont ils reçoivent l'eau ; cette disposition est nécessaire pour que les roues des voitures n'approchent pas trop près des bords de ce fossé, ce qui pourrait occasionner d'assez graves dégâts.

Il est bon de placer les digues à caisse assez profondément sous le sol ; leur fond doit se trouver à 0m.75 ou 1 mètre plus bas que le niveau supérieur de l'eau à son point d'arrêt. Il n'y a aucun inconvénient à ce qu'elles soient placées même plus bas que le fond du fossé qui les alimente ; mais il faut, dans ce cas, que le fond du fossé soit creusé à la profondeur correspondante, tant en avant qu'en arrière de l'écluse.

L'expérience a démontré qu'il est souvent prudent de fixer les digues à caisse par des empatements en pieux.

Les digues à caisse sont d'un bon emploi ; elles sont peu coûteuses, et leur durée est considérable.

Voici la manière de les établir. On creuse d'abord dans le fossé l'emplacement de la digue à caisse; on donne à l'excavation de 0m.60 à 1 mètre de largeur de plus que celle de la digue à caisse. Après que le sol a été bien égalisé, on y pose une couche de gazons, l'herbe en dessous. On bat ces gazons, et on les égalise avec un peu de terre meuble. On pose alors la digue à caisse sur cette couche, l'extrémité qui porte l'écluse étant dirigée en haut, c'est-à dire du côté où l'eau doit être tenue haute.

La digue est posée de telle sorte que la ligne médiane de celle-ci corresponde précisément à celle du fossé. — On peut quelquefois se dispenser de placer un revêtement de gazons, mais on doit alors soigneusement retirer du sol les racines, les pierres, etc., qui pourraient s'y rencontrer. On presse ensuite la digue à caisse contre le fond du fossé; dans ce but, on fait marcher les ouvriers sur la partie supérieure. Il est bon d'humecter la couche de gazons qui garnit le fond, le bois s'applique alors plus étroitement sur la terre.

On place de chaque côté de l'intervalle qui existe entre les parois de la digue à caisse et les bords du fossé une première couche de gazons de quelques centimètres de hauteur, comme l'indique la fig. 84, *a*, *a*.

Fig. 84.

On jette de la terre meuble de chaque côté de la digue entre ces gazons et les bords, pour remplir entièrement les vides, et l'on égalise le tout. — Au-dessus de la première couche de gazons on en place une seconde *b*, *b*, et l'on comble de nouveau l'intervalle avec de la terre que l'on bat comme précédemment. C'est surtout du côté de la digue qu'on doit bien raffermir ces couches de gazon. On continue l'opération de la même manière jusqu'à ce que l'encaissement ait atteint la hauteur de la digue. On achève alors le placement des gazons aux extrémités *c*, *c*, et sur le plafond de la digue; on y jette de la terre et l'on répète ce travail jusqu'à ce que la fosse soit comblée, et que la terre bien comprimée soit parvenue à la hauteur nécessaire.

Des bondes d'irrigation.

On fait usage des bondes avec grand avantage dans les lieux où le sol a une forte pente, et où l'eau doit tomber d'une hauteur de $0^m.60$ ou plus, pour se rendre du fossé principal au fossé alimentaire.

Ce sont des digues à caisse qui, au lieu de supports sur le dessus, sont liées dans cette partie à un tuyau ou canal placé perpendiculairement et qui reçoit l'eau pendant sa chute. La fig. 85 représente

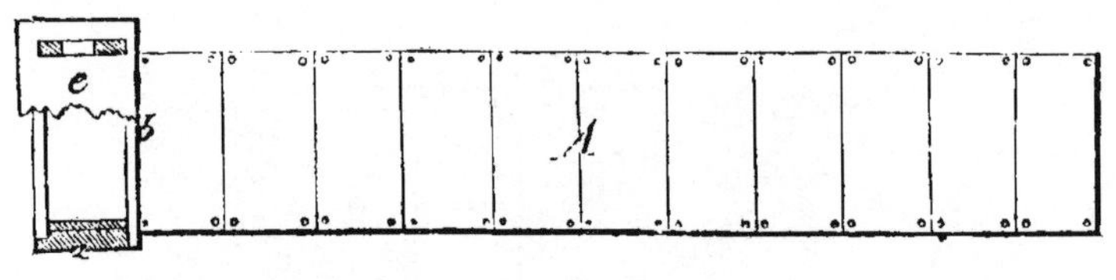

Fig. 85.

le plan, la fig. 86 la coupe longitudinale, et la fig. 87 le profil antérieur d'une bonde de ce genre.

On voit en A le tuyau inférieur et horizontal, construit comme celui d'une digue à caisse ordinaire. A la partie supérieure, les pièces latérales *a*, *a*, sont clouées verticalement, et maintenues par les planches *b*, *b*, clouées transversalement.

Le devant est fermé par des planches transversales jusqu'au point où la pelle de l'écluse *d* se soulève. Le tuyau, fixé de cette manière, est encore retenu par une pièce *e*, dans laquelle on a chassé sur les côtés de forts tenons.

Lorsqu'on tire la vanne *d*, l'eau tombe dans le

tuyau placé verticalement; elle prend ensuite son cours dans le tuyau horizontal A.

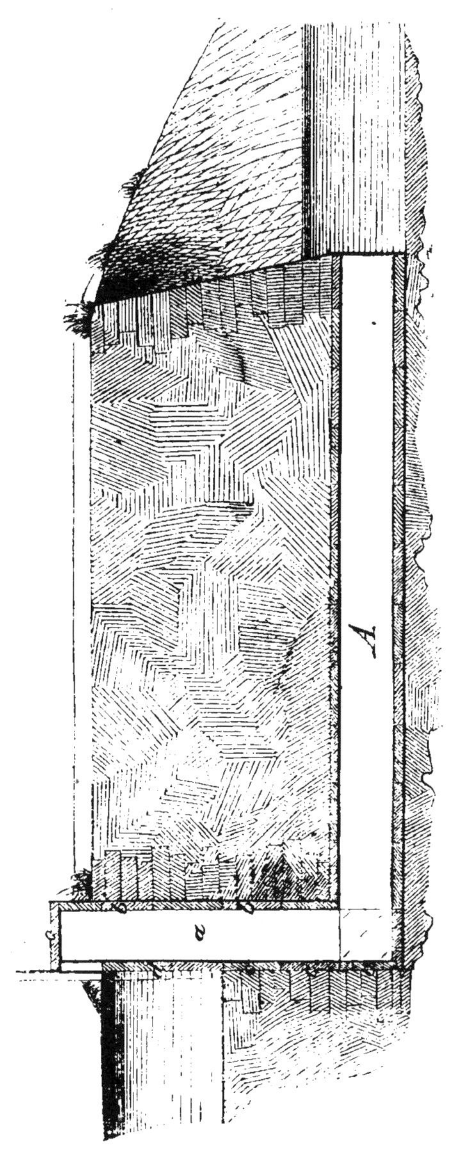

Fig. 86.

On place les bondes de la même manière que les digues à caisse; seulement les encaissements doivent

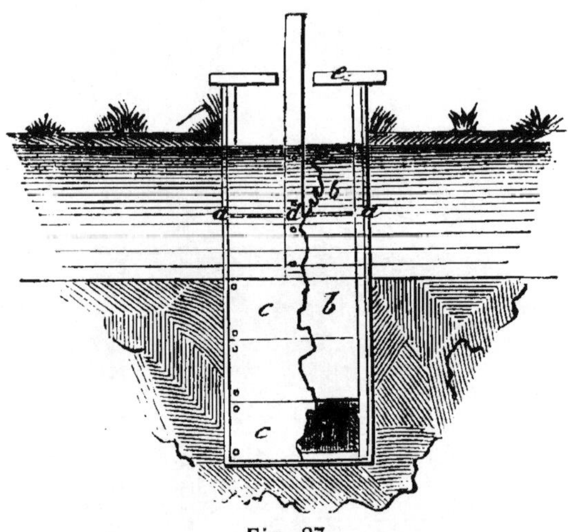

Fig. 87.

être faits avec encore plus de soin. Le tuyau vertical et tout le tuyau horizontal qui s'y relie doivent être entourés de gazons tassés.

Des planches d'arrêt.

Les planches d'arrêt sont employées là où l'on doit régler l'affluence de très-petites quantités d'eau.

Ce sont des morceaux de planche longs d'un mètre à un mètre quinze centimètres, et larges de $0^{m}.30$, dans lesquels on coupe une ouverture dont les dimensions varient d'après la masse d'eau qui doit la traverser.

A.

Fig. 88 A.

La forme de cette ouverture est rectangulaire, comme l'indique la figure 88, mais ses parois (dans l'épaisseur du bois) sont coupées obliquement (fig. 88, A), afin de diminuer la contraction de la veine fluide que subit toujours l'eau passant par un orifice. Le morceau de bois enlevé peut au besoin servir de vanne; étant placé au côté supérieur, le poids de l'eau le retiendra en place. Quand les planches d'arrêt sont mises en place, leur bord supérieur doit se trouver tout juste à la hauteur moyenne de la surface de l'eau.

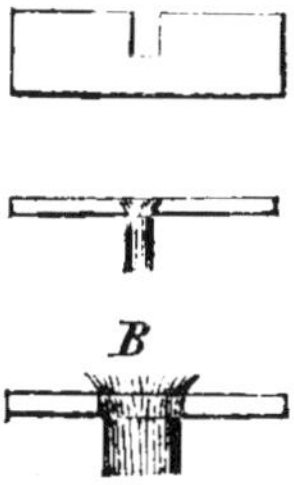

B

Fig. 88 B.

Pour placer ces planches qui sont tranchantes en dessous, on coupe la terre à la bêche là où la planche doit être placée. La planche est posée dans cette tranchée et on l'y enfonce en frappant dessus. On raffermit alors le gazon de chaque côté et l'on pose un morceau de gazon dans le fond du fossé, en avant de l'ouverture, afin d'empêcher l'eau de pénétrer sous la planche : c'est là toute l'opération.

On se sert quelquefois de planches trouées pour remplir le même but. Ce sont des planches d'environ $0^m.05$ d'épaisseur, et d'une longueur et largeur telles qu'elles barrent exactement le fossé et entrent encore de quelques centimètres dans les parois et dans le fond du fossé.

On les enfonce de manière qu'elles arrêtent exactement l'eau. Dans chacune de ces planches on a percé un trou rond de $0^m.10$ à $0^m.15$ de diamètre, et que l'on peut boucher avec un bondon. On peut ainsi à volonté arrêter ou laisser couler l'eau. La figure 89 représente la planche et la figure 90 le bondon. Il est à remarquer que pour fermer on doit enfoncer le bon-

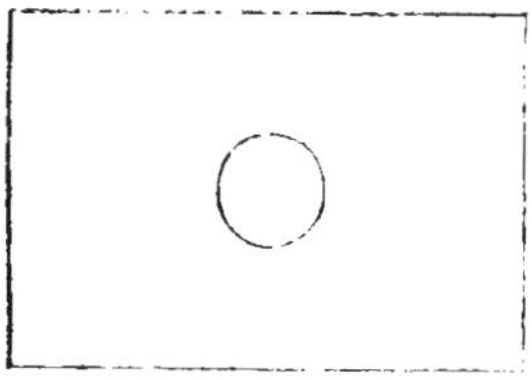

Fig. 89.

don dans la direction du courant, et non pas contre ce courant.

Pour arrêter l'eau dans de petites rigoles, ou pour fermer l'entrée des rigoles d'irrigation, on a d'autres planches proportionnées à la largeur des rigoles. Elles ont plus de solidité si on les enfonce, non pas de travers, mais dans le sens des fibres du bois. On les amincit de manière à les rendre tranchantes sur les trois côtés qui doivent entrer dans les parois et le fond de la rigole, et on leur en facilite l'entrée en donnant d'abord un coup de bêche dans le gazon. La partie supérieure de la planche est percée d'un trou assez grand pour y passer le manche de la bêche, de manière qu'on peut se servir des deux mains pour retirer la planche quand on veut l'enlever. La figure 91 représente une de ces planches.

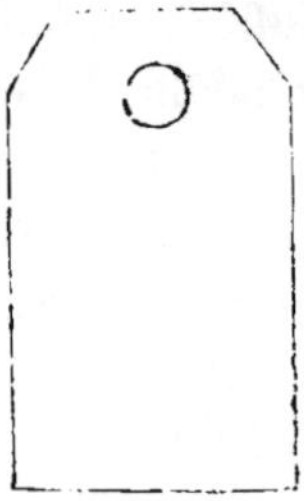

Fig. 90.

Fig. 91.

Des aqueducs fermés et ouverts.

Ces canaux sont destinés à transporter l'eau au-dessus ou au-dessous d'un autre cours d'eau. Les aqueducs sont ordinairement construits en bois pour les irrigations. Les conduits couverts qu'on peut enfouir sous le sol durent plus longtemps sans s'altérer que ceux qui sont exposés à l'ardeur du soleil, au froid et à l'humidité.

Quand l'eau de la partie supérieure du pré est moins abondante que l'eau de la partie inférieure, on doit employer les aqueducs ouverts.

1° *Des aqueducs couverts.*

Pour des aqueducs couverts qui ne mesurent que deux mètres de largeur sur 0^{m}.60 de hauteur ou qui ont de moindres dimensions, on se sert de planches de la même manière que pour les digues à caisse. Ce sont de véritables digues à caisse dont on a retiré la vanne.

Lorsque les aqueducs ont des dimensions plus considérables, on doit les encaisser dans de la terre tenace afin de leur donner la solidité désirable. Souvent même il est bon de protéger les parois du conduit par des pieux solides fichés en terre. Le diamètre des conduits se règle d'après la quantité d'eau qui doit y passer. Si elle est peu considérable, on peut se servir d'un conduit en bois foré ou d'un conduit formé de quatre madriers.

Si les pierres et la maçonnerie sont à des prix peu élevés, une construction en pierre sera plus durable qu'un ouvrage en bois.

2° *Aqueducs ouverts.*

La construction des aqueducs ouverts est extrêmement simple.

Les figures 92 et 93 représentent un aqueduc

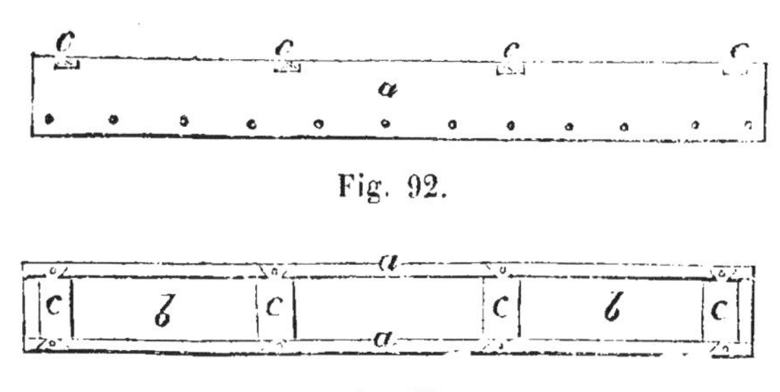

Fig. 92.

Fig. 93.

ouvert large de $0^{m}.30$ sur la même hauteur. Deux planches latérales *a, a,* soutiennent le fond *b, b;* la partie supérieure est fortifiée par les traverses *c, c.*

Quand les aqueducs ont plus de largeur, il devient nécessaire de soutenir les parois par des étaux en bois, comme l'indiquent les figures 94 et 95, *b*, *b*, *b*; ces pièces latérales soutiennent les traverses du

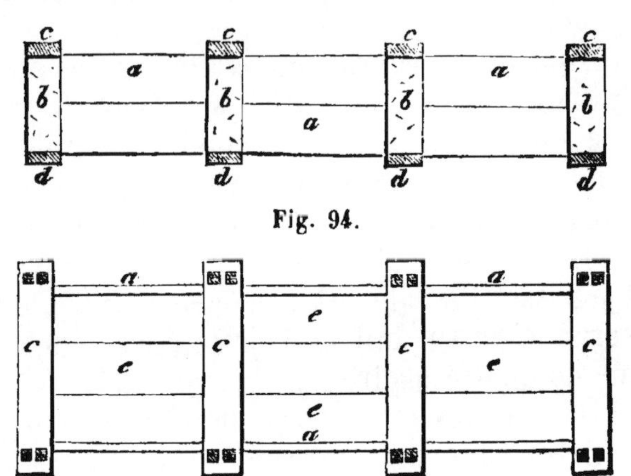

Fig. 94.

Fig. 95.

fond *d*, *d*, *d*, et les traverses supérieures *c*, *c*, *c*. Le tout est tenu en place par des tenons bien assujettis au moyen de coins enfoncés dans leur tête.

Ces aqueducs doivent se prolonger à la distance de 1^{m}.30 à 2 mètres dans les fossés dont ils tirent l'eau et dans ceux auxquels ils aboutissent; ces fossés doivent être tapissés de gazons, comme nous l'avons indiqué pour les digues à caisse, et l'aqueduc doit être posé dessus avec soin.

Quand les masses d'eau que l'aqueduc ouvert doit transporter sont extrêmement considérables, il est indispensable de soutenir ses parois par un empatement en pieux.

Les bords de ces aqueducs ne doivent s'élever qu'à quelques centimètres au-dessus du niveau d'eau.

Des machines propres à élever l'eau.

Il est des terrains tellement situés que l'eau ne

pourrait y être amenée pour l'irrigation si on n'employait des machines pour y parvenir. On se sert de moyens mécaniques non-seulement dans les positions où le niveau ne pourrait parvenir, mais encore là où, par des travaux généraux, on pourrait fertiliser des territoires entiers [1]. Les machines le plus communément employées pour élever de grandes quantités d'eau sont les roues à godet, les roues à tympan, les *norias*. Ces machines sont formées par une série de seaux ou de vases fixés autour d'une roue verticale plongeant dans l'eau par sa partie inférieure.

Si la rivière a un courant rapide et un niveau peu variable pendant une grande partie de l'année, on place la roue immédiatement à son bord ; dans le cas contraire, on commence par diriger l'eau par un canal qui la fait arriver à la roue au moyen d'un coursier. On élève ainsi l'eau à la hauteur du diamètre au moyen de godets attachés à son pourtour, ou à la hauteur du rayon de la roue, selon le niveau du terrain à arroser, au moyen de tuyaux creux partant de la circonférence et dirigés en développements de cercle, et versant par le centre de la roue. Les roues à godet peuvent porter l'eau à 7 ou 8 mètres de hauteur, qui est leur diamètre. L'eau est ainsi obtenue presque gratuitement, car elle ne supporte que les frais d'établissement de la machine.

Pour établir une roue à aubes dans des proportions convenables, il faut d'abord connaître la force dont on peut disposer ; il s'agit alors de proportionner à cette force le volume des godets qui montent remplis d'eau, en calculant sur une perte de force de 60 °/₀.

[1] Nous n'entrerons pas dans le détail des constructions de ces machines ; le lecteur désireux d'approfondir ce sujet pourra consulter les traités spéciaux.

Les godets sont placés sur les côtés de la roue, de manière à plonger entièrement dans l'eau à chaque révolution. Supposons qu'ils soient cubiques et portent 0m.30 de côté, ils présentent à l'eau une surface de 90 décimètres carrés. D'après les calculs faits selon les formules fournies par l'hydraulique, nous aurons 144 litres d'eau élevés à la hauteur d'un mètre par seconde, ou par jour 12,441 mètres cubes d'eau.

La roue à godets (figure 96) peut être mise en

Fig. 96.

mouvement par le courant d'eau, par le poids d'un homme ou par des animaux marchant dans un tympan, enfin par un manége.

Mais si le réservoir où l'on puise l'eau est profond, on conçoit que si la circonférence devait en atteindre le niveau, il faudrait donner à la roue un diamètre tellement exagéré que son poids seul entraînerait un frottement considérable et exigerait l'emploi d'une grande force motrice. Alors on fait passer sur un tambour une corde sans fin portant les godets, qui se remplissent quand ils sont parvenus à la partie inférieure de leur circuit et se vident à la partie supérieure : la moitié des godets est donc pleine, et l'autre moitié vide.

Exécutée grossièrement en bois, avec des pots en terre cuite pour godets, on a les *norias*. Cette machine perfectionnée consiste en un tambour hexagone de fonte (fig. 97), mis en mouvement par une roue

Fig. 97.

d'engrenage qui, elle-même, se meut au moyen d'un manége; une chaîne sans fin est formée de barres de fer en nombre indéterminé, et chacune de la longueur d'un des côtés de l'hexagone, articulées entre elles. Chacune de ces barres porte un godet en zinc, et, si l'on opère avec une force considérable, un baril cerclé en fer. Ces anneaux de la chaîne s'appliquent successivement, par l'effet de la rotation du tambour, à chacun des côtés de son hexagone, et versent l'eau qu'ils ont puisée dans un auget, d'où elle est déversée sur le champ à arroser.

Les godets doivent être percés à leur fond, pour laisser échapper l'air qu'ils renferment à mesure qu'ils s'emplissent par leur ouverture. Pendant leur ascension, il s'échappe ainsi du fond des godets une certaine quantité d'eau qui retombe dans le godet placé au-dessous.

CHAPITRE IX.

De quelques considérations préliminaires à la mise en exécution d'un plan d'irrigation.

Après avoir, par des nivellements soignés et par l'étude du sol, ainsi que par le calcul approximatif de la quantité d'eau dont on dispose, prouvé la possibilité de l'irrigation, on s'occupe des questions de droit, qui font l'objet d'un chapitre spécial du présent ouvrage.

Si l'irrigation ne souffre pas de difficultés sous ce rapport, on étudiera plusieurs points importants :

1° On comparera la masse d'eau dont on dispose avec l'étendue du terrain à irriguer; on verra par là si le pré pourra recevoir partout de l'eau fraîche ou si l'on devra utiliser plusieurs fois la même eau.

2° On marquera le parcours des fossés principaux qui se rendent aux divisions du pré, afin qu'elles aient toutes une même étendue.

3° On déterminera si l'on doit établir l'irrigation en ados ou en plan incliné, ou si l'on doit réunir les deux systèmes sur un même pré.

Il est impossible de donner des règles spéciales pour chaque cas qui pourrait se présenter; c'est à la sagacité de l'agriculteur ou de l'ingénieur de les saisir et d'y conformer son travail.

Nous résumerons ici en quelques mots les conditions et les règles à suivre pour une bonne exploitation d'irrigation.

1° Le sol doit être assaini et aussi exempt que possible d'humidité souterraine; il ne doit être ni trop sec ni trop chaud.

2° Les surfaces à irriguer doivent être aplanies et bien nivelées, afin que l'eau puisse y couler librement et régulièrement.

3° Ces surfaces doivent présenter une pente légère, afin que l'eau puisse couler à leur surface sans s'y arrêter.

4° Ces surfaces doivent avoir une largeur proportionnée à la qualité et non à la quantité de l'eau.

5° La dimension des fossés doit rendre possible d'amener sur le pré une quantité de matières fertilisantes proportionnelle à la quantité de foin de la récolte présumée.

6° L'eau ayant servi à un arrosement ne doit être utilisée une seconde fois qu'après avoir été conduite à quelque distance du lieu où elle a servi pour la première fois.

7° La moitié ou le tiers au moins de la surface du

pré doit pouvoir être arrosée simultanément à l'époque des arrosements prolongés.

8° L'irrigation doit être réglée de telle façon que, lors même qu'on serait obligé d'utiliser l'eau à plusieurs reprises, on puisse arroser séparément chaque partie de la prairie avec de l'eau fraîche.

9° Chacune de ces parties doit être de dimensions telles qu'on puisse les arroser en entier en une nuit d'été.

10° Dès que l'arrosement est terminé, on doit pouvoir faire écouler l'eau qui se trouve dans les rigoles et fossés d'alimentation et de décharge.

11° On doit faciliter autant que possible la récolte et l'enlèvement du foin par la disposition des fossés et des digues, afin d'éviter la construction de ponts en bois.

12° On doit s'efforcer de travailler avec le plus d'économie que possible.

CHAPITRE X.

DE L'IRRIGATION PROGRESSIVE DES PRÉS ET DE LA CONSTRUCTION COMPLIQUÉE.

De l'irrigation progressive des prés.

Il peut arriver que le terrain qu'on se propose de soumettre à l'irrigation soit trop étendu pour permettre qu'on y établisse tous les travaux en une seule année. Dans ce cas, on n'a que deux alternatives à suivre, soit d'établir des planches, des ados, des fossés et des rigoles comme pour l'irrigation ordinaire, mais seulement sur une petite portion du pré, en laissant le restant sans y toucher; ou bien d'établir sur la surface entière qu'on destine à l'irrigation les fossés et rigoles; mais on laisse les surfaces entre ces fossés et rigoles comme la nature les a faites; c'est-à-dire qu'on économise les travaux de construction de planches ou d'ados. De cette façon on ébauche l'irrigation rationnelle future, et chaque coup de bêche qu'on donne est un travail préparatoire qui servira plus tard.

De l'exécution des rigoles alimentaires dans l'irrigation progressive des prairies.

Afin d'obtenir une distribution aussi régulière que possible de l'eau sur un pré dont le sol conserve sa disposition naturelle, les rigoles doivent être horizontales. Dans la culture en ados, après avoir vidé et creusé les rigoles alimentaires *a, a* (fig. 98), et les rigoles de décharge *b, b*, on tasse des gazons *c, c*, coupés régulièrement et placés, l'herbe en dessous, tout le long des bords des rigoles alimentaires, et cela à la hauteur de $0^{m}.08$ à $0^{m}.10$. On forme en *d, d*, de petits talus au moyen de la terre retirée des rigoles de décharge qu'on approfondit à la bêche.

On ne fait pas attention aux petites inégalités du sol; on remet ce travail pour le moment où l'on établira l'irrigation rationnelle perfectionnée, chose qui se fera aisément par de simples modifications de ce qui est déjà construit.

Si l'on établit des planches au lieu d'ados, on place, du côté par lequel la rigole d'alimentation déborde, une bande de gazons retournés, l'herbe en dessous; du côté opposé on construit le petit endiguement indispensable au moyen de gazons et de terre retirée du fond de la rigole qu'on approfondit à cet effet.

Dans un bon sol, les gazons retournés dont on a bordé les rigoles reverdissent bientôt, l'herbe renaissant à leur partie exposée; dans les terres maigres, ce reverdissement se fait plus longtemps attendre; on le facilite en semant quelques graines de graminées.

De la construction compliquée des prés irrigués.

On est souvent forcé, quand l'étendue du pré est considérable, de mettre certaines parties en plan incliné et certaines autres en ados. Ce mélange de plans inclinés et d'ados s'appelle une construction compliquée. Selon la pente du terrain, l'on commencera la construction au-dessous du canal principal, tantôt par un plan incliné, tantôt par une série d'ados. Les canaux de décharge des parties supérieures servent de canaux alimentaires aux parties inférieures, et l'on opère comme nous l'avons indiqué en parlant de l'emploi réitéré de l'eau. Quiconque voudra réfléchir et faire usage de sa raison saura apprécier les circonstances qui devront le guider dans la disposition de son terrain pour l'irrigation compliquée. Nous n'en dirons pas plus.

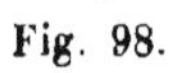

Fig. 98.

CHAPITRE XI.

DES SOINS A DONNER AUX PRAIRIES IRRIGUÉES.

De la nécessité d'un aménagement soigné des prés irrigués.

Il n'existe point de travail agricole qui exige plus d'attention et plus de soins qu'une irrigation ; on ne rencontre que bien rarement des personnes qui en aient une idée exacte.

Une prairie irriguée, cultivée et entretenue avec soin, est un véritable trésor; mais si on la néglige, elle dévorera non-seulement les intérêts du capital dépensé pour son établissement, mais elle engloutira ce capital lui-même, la prairie devenant souvent plus mauvaise qu'elle ne l'était primitivement. Tous les ans le pré nécessite des réparations; mais les peines qu'on se donne sont largement payées, car un pré irrigué produit souvent un plus grand bénéfice que la meilleure terre labourable. Nous passerons rapidement en revue les divers travaux annuels.

Du fauchage des prés irrigués.

Les premiers soins commencent lors du fauchage de l'herbe. On veille à ce qu'elle soit coupée régulièrement et parallèlement au sol.

L'herbe et la surface du sol souffrent toujours d'un fauchage inégal. Pour éviter cet inconvénient, on ne doit jamais faire la première et la seconde coupe dans le même sens ; il vaut mieux faucher la première fois selon la longueur, et la seconde fois selon la largeur des ados ou des planches.

Du curage des fossés et des rigoles.

L'eau dépose de la vase au fond des rigoles et des fossés; l'herbe pousse sur leurs bords, les plantes aquatiques se développent; et cela souvent de telle façon que les fossés disparaissent pour ainsi dire dans le courant de l'année, et d'autant plus vite que l'eau est de meilleure qualité. Le cours libre de l'eau est interrompu, les fossés et les rigoles se comblent et se rétrécissent, la distribution de l'eau devient irrégulière, et le pré entier en souffre.

On doit prévenir ces inconvénients en tranchant de temps à autre les bords des fossés et des rigoles, en les redressant au cordeau et en nettoyant le fond. On jette la vase provenant du fond en petits tas sur les côtés des fossés ; plus tard on l'étend dans les endroits qui nécessiteraient un rehaussement. Si cette vase n'était pas employée à cet usage, on pourrait la répandre en mince couche sur le sol, où elle sert d'engrais.

Dans l'irrigation progressive, cette vase fournit des matériaux qui amènent peu à peu la transformation de l'irrigation progressive en irrigation rationnelle.

L'automne est l'époque la plus propice au curage des fossés et rigoles ; c'est après l'enlèvement du regain, c'est-à-dire vers la fin de septembre ou au commencement d'octobre, que cette opération se fait le mieux.

Les deux arrosements principaux se font alors, l'un en automne après le curage des fossés, le second au printemps avant que ces fossés ne soient encombrés par les herbes.

De l'époque des arrosements.

Les arrosements doivent se faire à des époques qui peuvent varier selon les effets qu'on désire obtenir. Ainsi pendant la première année il est souvent avantageux de laisser ruisseler l'eau sans interruption pendant toute la durée de l'été sur la surface du pré.

Après la première année, on fera tous les ans deux arrosements principaux, l'un en automne, l'autre au printemps; les arrosements intermédiaires ne servent qu'à dissoudre les particules organiques qui auraient pu se dessécher dans le sol.

L'irrigation d'automne se fait vers le milieu de novembre, et dure pendant deux ou trois semaines nuit et jour sans interruption. Après cette époque, s'il ne gèle pas encore, on peut continuer pendant quelque temps les arrosements, mais seulement un jour sur trois ou quatre, afin de ne pas trop ramollir le sol. On peut faire ceci jusqu'au milieu du mois de décembre, s'il ne gèle pas. Si l'eau commençait à geler à la surface du pré, on doit mettre immédiatement à sec et laisser le pré reposer pendant l'hiver.

Le second arrosement fertilisant se pratique en deux fois au printemps; la première fois au mois de mars et dès qu'on peut regarder l'hiver comme terminé; le sol, à cette époque, est souvent encore gelé, du moins à une certaine profondeur en dessous de la surface; on arrose, sans discontinuer, tant que le dégel est complet. Dès que ceci est opéré, on met à sec. Au milieu d'avril, alors que le trèfle rouge pousse ses premières feuilles, on fait le second arrosement du printemps; cet arrosement doit se faire abondamment dans les premiers temps pendant la durée de huit à quatorze jours, tant qu'on voit les fines pointes de l'herbe sortir de la surface de l'eau. C'est maintenant qu'on doit agir avec prudence. Par un temps de soleil clair et chaud, quand l'air est tiède ou quand il tombe des pluies douces, on arrête l'eau; mais on arrose copieusement quand le temps est froid, orageux ou qu'il tombe des pluies froides. Quand on s'attend à des gelées nocturnes, on arrose pour protéger les jeunes plantes.

Quand on arrête l'irrigation, on doit toujours tâcher de le faire avant que le soleil ne commence à réchauffer le sol.

L'heure la plus favorable pour faire monter l'eau dans les fossés et les rigoles d'alimentation est la même que les jardiniers choisissent pour arroser leurs fleurs, c'est-à-dire au coucher du soleil.

On continue l'irrigation du printemps jusqu'au mois de mai.

Il arrive quelquefois, pendant l'irrigation, que des *conferves* (sorte de mousse aquatique) se développent dans l'eau au point de recouvrir tout le pré d'une nappe délétère qui blanchit en se desséchant. Dès que ces conferves commencent à paraître, on doit mettre à sec et n'arroser que pendant peu de temps à la fois à la même place. Si l'on n'a pas surveillé le pré avec assez d'attention et que les conferves s'y soient déjà développées en masse, la mise à sec du pré ferait le plus grand tort; il vaut mieux, dans ce cas, continuer l'arrosement sans interruption en ne donnant pas plus d'eau qu'il n'en faut pour que les conferves restent humides. La jeune herbe finit par croître vigoureusement et les conferves s'anéantissent d'elles-mêmes étant converties en engrais vert.

Le bourgeonnement des chênes est le signal de la fin des arrosements prolongés.

En été, la prairie n'a besoin que de peu d'eau et seulement assez pour préserver d'un excès de sécheresse; les arrosements ne doivent alors être que peu fréquents ; une nuit sur cinq à huit suffit. Ces irrigations d'été doivent être faibles et ne couvrir le sol que légèrement.

Il arrive quelquefois que l'eau trouble salit l'herbe à une hauteur plus grande que celle où passe la faux ; dans ce cas, le foin impur peut devenir malsain pour les bestiaux et pour les moutons.

Les arrosements doivent entièrement cesser de huit à quinze jours avant le fauchage, afin que le sol puisse se raffermir et laisser passer les chariots, dont les jantes doivent être fort larges, afin d'éviter les ornières.

Si l'on a tenu le pré sec pendant quinze jours avant le fauchage, on peut l'arroser une dernière fois dans la nuit qui précède cette opération ; ceci facilite la coupe de l'herbe et exerce une influence bienfaisante sur la croissance du regain.

Après le fauchage, on laisse le pré à sec pendant huit à quinze jours. C'est à cette époque que les rigoles et les fossés peuvent être inspectés, et au besoin réparés. On permet alors de nouveau à l'eau d'inonder le pré pendant trois à huit jours consécutifs, mais pas trop abondamment. Ensuite on met à sec, et l'on continue comme on l'a fait précédemment pendant l'été.

Si cependant à cette époque le temps était froid ou pluvieux, au lieu d'arroser une fois sur cinq ou huit nuits, on devrait arroser en abondance et sans interruption.

Si l'on s'attend à une troisième coupe d'herbe, on

doit irriguer après la seconde coupe comme après la première, mais on met à sec un peu plus tôt avant la troisième coupe qu'on ne l'a fait avant les précédentes, parce qu'à cette époque le sol se dessèche plus lentement.

Les règles qui précèdent touchant les époques et l'abondance des arrosages sont des règles générales qui peuvent et doivent même subir des exceptions dans bien des cas particuliers. C'est aux irrigateurs à observer l'effet de l'ensemble et du détail de leurs opérations, pour apporter au système qu'ils auront adopté les modifications dont l'expérience leur démontrerait la nécessité.

CHAPITRE XII.

DU LIMONAGE ET DU COLMATAGE.

Nous extrayons le présent chapitre du Traité de Polonceau pour donner quelques notions sur deux opérations que l'irrigateur est souvent à même de pratiquer avec fruit.

Les limons et les vases, dont presque tous les cours d'eau sont chargés après des pluies abondantes, sont en général d'excellents amendements.

Les limons entraînés par les eaux qui passent sur les terrains calcaires sont les plus favorables pour les terrains siliceux (sablonneux) ou argileux; réciproquement, les limons provenant des terrains argileux sont les meilleurs pour les terrains calcaires ou siliceux.

Les rivières entraînent, indépendamment de ces

limons, des sables et des graviers qui ne seraient pas utiles et pourraient être nuisibles. Pour n'avoir que les limons fécondants, il faut établir les prises d'eau de manière à ne dériver dans les canaux d'irrigation que les eaux de la nappe supérieure du courant, qui ne contient que les limons fins.

Pour n'avoir que les limons fins, il faut placer, aux prises d'eau, des vannes dont la partie inférieure soit fixe, et dont la partie supérieure soit composée de deux ou trois planchettes mobiles que l'on enlève suivant la hauteur de l'eau et le besoin.

Pour obtenir des dépôts notables de limon, attendu que les eaux troubles ont généralement peu de durée, il faut autant que possible couvrir les terrains de nappes d'eau d'une certaine hauteur.

Comme le limon se dépose en plus grande abondance dans les rigoles d'irrigation, à cause de leur profondeur, il faut avoir soin, quand on rétablit l'irrigation, de favoriser le délayement de ce limon dans l'eau des rigoles en l'agitant et en grattant le fond avec des bâtons, garnis au bas de petites palettes de bois; les limons ainsi agités et délayés sont entraînés et répandus sur le pré; ou bien on les enlève à la pelle et on les sème sur le pré.

Les colmatages diffèrent des limonages en ce que, au lieu de faire déposer par les eaux des vases et des limons fins sur le sol, par irrigation ou par submersion, il s'agit d'obtenir des lits épais des matières que les courants entraînent, soit pour remblayer des marais ou des terrains bas, soit pour accumuler et approvisionner des dépôts de vases et de limons, pour les transporter ensuite, en qualité d'amendements, sur les champs ou sur les prés.

Quand on veut simplement former des remblais, ce sont les graviers et les sables qu'il faut faire déposer. Ces substances étant contenues ordinairement dans les couches inférieures et moyennes des courants, pour les obtenir en plus grande abondance il faut établir sur leurs bords, en tête des canaux de dérivation destinés à charrier ces matériaux, des vannes dont le haut soit fixe et le bas mobile sur la moitié ou les deux tiers de leur hauteur, et dont on puisse à volonté réduire l'ouverture selon la hauteur des eaux et la grosseur des matériaux que l'on veut faire entraîner. A cet effet, il faut qu'une vanne de fond glisse le long de la partie fixe supérieure.

Pour que les eaux chargées de graviers, de sable, ou de terres grossières, les déposent, on établit, à l'aval des bas-fonds que l'on veut combler, un barrage en forts clayonnages perpendiculaires au courant artificiel de dérivation, afin d'arrêter les matériaux et de faciliter leur dépôt en rompant la vitesse du courant.

Lorsque le bas-fond à remblayer a de la longueur et une pente forte, on établit plusieurs barrages successifs, après que les premiers à l'aval ont produit leur effet, pour retenir ensuite les dépôts dans les parties supérieures. Si l'on veut obtenir des dépôts demi-fins, comme du sable ou de petits graviers, on se sert de vannes dont le haut et le bas soient fixes et le milieu seulement ouvert et muni d'une ventelle mobile.

Quand on veut recueillir des dépôts fins de vases et de limons, pour les transporter et les répandre sur des terrains où on ne pourrait pas les faire conduire par une dérivation du courant, il faut établir sur le bord du ruisseau ou de la rivière limoneuse une vanne dont le bas soit fixe, et dont la partie supérieure soit composée de planchettes mobiles que l'on enlève à volonté, suivant la hauteur des eaux et leur degré de richesse en limon, comme pour les limonages ordinaires; mais au lieu de conduire les eaux de la nappe supérieure dans des rigoles d'irrigation, on les amène, par un large canal de dérivation, dans des bassins de colmatage disposés spécialement pour la formation de dépôts.

Nous allons indiquer le mode d'exécution que nous croyons le plus propre à remplir le but proposé.

Ces bassins doivent être vastes et divisés en compartiments parallèles entre eux, pour augmenter le plus possible la longueur des parcours, et pour que les détours et les sinuosités qui en résultent déterminent le dépôt des matières en suspension, par le ralentissement de vitesse qu'ils produisent. (Voyez la fig. 99.)

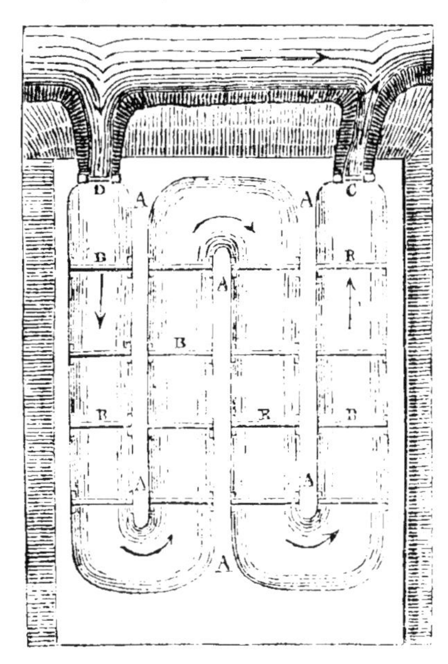

Fig. 99.

Les enceintes de ces bassins peuvent être faites en terre bien pilonnée, et leurs divisions longitudinales peuvent s'établir avec de petits murs, ou au moyen de levées en terre gazonnée, seulement dans leurs parties supérieures : on donne à leur fond une pente suffisante pour l'écoulement facile et complet des eaux.

Quand on veut faire un ouvrage durable, on peut faire le dallage du fond en briques ou en pierres plates, ou bien encore en béton, et revêtir les parois de l'enceinte et des levées transversales avec un simple rang de briques ou de moellons.

Pour empêcher le courant des eaux, dans les canaux sinueux, d'agir sur les dépôts qui tendent à s'arrêter sur leurs fonds, on établit de distance en distance et en travers des subdivisions du bassin (qui ont la même hauteur que son enceinte) de petits barrages en planches, qui ne s'élèvent qu'à la moitié de la hauteur des bords du bassin et de ses subdivisions; ces petits barrages sont composés de trois planchettes. La figure 99 représente un de ces bassins avec ses divisions parallèles A A, et les planchettes transversales indiquées par les lettres B B; les petites flèches indiquent les directions des eaux. A l'extrémité de la dernière division, par laquelle les eaux doivent sortir, il y a une vanne C, dont la base est au niveau du fond du bassin. On laisse d'abord cette vanne ouverte pour déterminer le remplissage de toutes les divisions; lorsque le courant y est bien établi, on ferme cette vanne et celle d'introduction D, et on laisse les eaux déposer. Quand elles sont éclaircies jusqu'à moitié de leur profondeur, on ouvre la vanne C, et on laisse couler l'eau, qui se vide jusqu'au niveau des traverses en planches, entre lesquelles restent les dépôts déjà formés et les eaux les plus chargées. On les laisse quelque temps en cet état; puis, quand l'eau restée dans les petits bassins s'est en partie éclaircie à son tour, on enlève toutes les premières planchettes des subdivisions; cette seconde tranche d'eau étant évacuée, on remet les planchettes enlevées; on laisse les dépôts commencés se consolider, puis on introduit de nouveau des eaux troubles et on opère une seconde fois de la même manière.

Quand on reconnaît que les dépôts dans les cases sont assez abondants, après avoir une dernière fois évacué l'eau supérieure aux petits barrages, on enlève les premières planchettes, en commençant par celle qui est le plus près de la vanne de fuite C, et qui fait évacuer la lame d'eau claire supérieure; puis on laisse encore reposer, et l'on ôte les secondes planchettes; on laisse la troisième jusqu'à ce que le dépôt soit affermi par l'infiltration ou l'évaporation de l'eau qui y reste mêlée; et quand il est solidifié, on ôte le dernier rang de planchettes, en commençant par celle d'amont et en finissant par celle d'aval, afin d'éviter qu'il ne se forme, d'une case à l'autre, des chutes qui entraîneraient les dépôts; ensuite on lève doucement et peu à peu la vanne d'aval pour écouler l'eau qui reste, et on relève à la pelle le limon déposé dans toutes les cases.

Le limon enlevé, on remet toutes les planchettes des traverses, pour recommencer une seconde opération semblable lorsque les eaux redeviennent troubles.

On peut multiplier ces bassins suivant le besoin; mais, en général, il en faut au moins deux, pour que le travail se fasse alternativement de l'un à l'autre, et pour que l'on puisse remplir l'un des deux pendant que les dépôts se ressuient dans l'autre.

Pour faciliter ce ressuyage, il faut donner une pente continue de 4 à 5 millimètres par mètre aux canaux de dépôt, depuis l'entrée jusqu'à leur sortie, et disposer leur fond en cuvette arrondie, ou y former un angle en inclinant les deux côtés. On favorisera encore cet écoulement en dallant le fond ainsi établi avec des pierres plates ou des briques sur plat.

FIN.

EXPOSÉ SOMMAIRE

DE LA LÉGISLATION ET DES RÈGLEMENTS PROVINCIAUX SUR LES EAUX.

Une revue sommaire de la législation et des règlements de police qui régissent les eaux en Belgique forme, ce nous semble, un appendice utile au Traité d'irrigation qui précède.

Nous diviserons ce travail en deux parties.

Nous examinerons, dans la première, quelles sont, au point de vue législatif, les différentes espèces d'eau, — les lois qui les régissent, — la manière dont on peut en user d'après ces lois; — les innovations que la loi de 1848 sur les irrigations a apportées à la législation antérieure.

Dans la seconde partie, nous entrerons dans quelques détails sur l'application des dispositions principales de la loi de 1848, — sur l'institution des wateringues, — et sur les règlements provinciaux qui s'occupent de la police des cours d'eau non navigables ni flottables.

I

Au point de vue législatif, les eaux se divisent en trois catégories :

1. Les eaux dépendant du domaine public.
2. Les eaux communes.
3. Les eaux de propriété privée.

1. *Les eaux dépendant du domaine public.* — Ce sont les fleuves, rivières, cours d'eau déclarés navigables ou

flottables. L'art. 538 du code civil attribue à l'État la propriété de ces eaux.

Art. 538. « Les chemins, routes et rues à la charge de « l'État, *les fleuves et rivières navigables ou flottables*,... sont « considérés comme des dépendances du domaine public. »

De la sorte, dès qu'un cours d'eau, quelque peu important qu'il soit, est déclaré navigable ou flottable, personne n'a le droit de s'en approprier la moindre partie sans une autorisation préalable, soit une *concession*, émanée de l'administration supérieure.

C'est ordinairement au moyen de grands travaux d'art entrepris par les gouvernements ou par de puissantes associations, que les eaux de cette classe sont mises à la portée de l'irrigateur. Ainsi, en Belgique, le gouvernement a conduit les eaux de la Meuse à travers la Campine, et il paraît qu'une société particulière s'occupe de travaux destinés à y déverser les eaux de l'Escaut.

2. *Les eaux communes.*— Elles se composent des petites rivières, ruisseaux, torrents, enfin de tous les cours d'eau qui ne sont ni navigables, ni flottables.

L'usage de ces eaux appartient collectivement à tous les propriétaires riverains. Ce droit est défini dans l'art. 644 du code civil.

Art. 644. « Celui dont la propriété borde une eau cou- « rante, autre que celle qui est déclarée dépendance du « domaine public par l'art. 538, peut s'en servir à son « passage pour l'irrigation de ses propriétés.

« Celui dont cette eau traverse l'héritage peut même en « user dans l'intervalle qu'elle y parcourt, mais à la charge « de la rendre, à la sortie de ses fonds, à son cours « ordinaire. »

Chaque propriétaire riverain peut donc employer à l'irrigation de son terrain les eaux de cette deuxième classe : il peut même, si elles traversent son héritage, en détourner la direction, pourvu qu'à la sortie du fonds il les rende à leur cours ordinaire. Mais dans l'exercice de ce droit, il doit toujours se conformer aux usages locaux ou aux règlements établis : car l'autorité administrative conserve la surveillance et la police de ces cours d'eau, pour tout ce qui concerne, par exemple, leur curage, leur facile écoulement, la prohibition des usages industriels capables de corrompre l'eau, etc., etc.

3. *Les eaux de propriété privée.* — Ce sont les eaux qui se trouvent sur une propriété privée, telles que les sources, les étangs, les lacs, etc.

Ces eaux sont *naturelles*, lorsqu'elles naissent sur le terrain par le seul effet de la nature, comme les eaux d'une fontaine; *artificielles*, lorsqu'elles y sont réunies par un travail d'art quelconque, par exemple, au moyen d'un sondage.

Le propriétaire de l'héritage où existent des eaux de cette nature a le droit d'en disposer d'une manière absolue, de les absorber entièrement si cela lui convient, à moins cependant qu'un propriétaire voisin n'ait acquis quelque droit sur ces eaux soit par titre, soit par prescription; à moins encore qu'elles ne pourvoient aux besoins d'un centre de population.

Les art. 641, 642, 643 du code civil établissent les droits du propriétaire à cet égard, ainsi que les restrictions qui peuvent naître d'un titre, d'une prescription, ou des besoins d'une population.

Art. 641. « Celui qui a une source dans son fonds peut « en user à sa volonté, sauf le droit que le propriétaire « du fonds inférieur pourrait avoir acquis par titre ou par « prescription. »

Art. 642. « La prescription, dans ce cas, ne peut s'ac- « quérir que par une jouissance non interrompue pendant « l'espace de trente années, à compter du moment où le « propriétaire du fonds inférieur a fait et terminé des « ouvrages apparents destinés à faciliter la chute et le « cours de l'eau dans sa propriété. »

Art. 643. « Le propriétaire de la source ne peut en « changer le cours, lorsqu'il fournit aux habitants d'une « commune, village ou hameau, l'eau qui leur est néces- « saire : mais si les habitants n'en ont pas acquis ou « prescrit l'usage, le propriétaire peut réclamer une « indemnité, laquelle est réglée par experts. »

Telle est la législation du code civil sur l'usage ou la propriété des différentes espèces d'eau.

Il en résulte qu'on ne peut user des *eaux publiques* (fleuves et rivières navigables et flottables) que par voie de concession obtenue de l'administration supérieure; — que les *eaux communes* (non navigables ni flottables) peuvent être utilisées de plein droit à l'irrigation par les riverains, à la condition de rendre les eaux à leur cours ordinaire; — et que les *eaux privées* sont la propriété exclusive, absolue (à quelques exceptions près) de celui sur le fonds duquel elles naissent ou sont réunies.

En accordant sur les eaux ces droits plus ou moins étendus, la législation du code civil laissait, néanmoins, fort restreinte et fort entravée la faculté d'en jouir.

Ainsi, le propriétaire d'une eau privée en était, il est vrai, maître exclusif, mais il ne pouvait cependant l'utiliser que dans la limite exacte du terrain où elle prenait naissance : ce terrain était-il séparé, par la terre d'un voisin, d'autres fonds que le propriétaire des eaux aurait voulu irriguer, la chose était impossible si le voisin refusait le passage : car le droit d'aqueduc n'était point inscrit dans nos lois.

Pour les cours d'eau non navigables ni flottables, il existait un obstacle d'un autre genre. Presque toujours ces cours d'eau sont encaissés, et pour que le riverain puisse les utiliser à l'irrigation, il faut qu'il ait la faculté de pratiquer sur la rive opposée des travaux, un barrage par exemple, qui élèvent l'eau au niveau des terres riveraines que l'on veut arroser. Mais aucune loi n'accordait le droit d'obliger le propriétaire de la rive opposée à laisser établir (moyennant indemnité) des travaux de ce genre; et la faculté d'*user* des eaux communes devenait ainsi fort souvent illusoire par l'impossibilité de les élever et de les déverser sur le fonds irrigable.

La loi de 1848 sur les irrigations a fait disparaître ces obstacles si préjudiciables aux progrès de l'agriculture, en établissant le *droit de passage des eaux sur le fonds d'autrui* et la *faculté de former des barrages pour la dérivation des eaux.*

Cette loi n'a du reste rien changé à la législation antérieure; elle a respecté les dispositions existantes et les droits acquis, se bornant à établir deux nouvelles servitudes légales, le *droit d'aqueduc* et le *droit de barrage,* et à élargir la législation *sur le desséchement des marais.*

Voici le texte de la loi sur les irrigations :

Article premier. Tout propriétaire qui voudra se servir, pour l'irrigation de ses propriétés, des eaux naturelles ou articielles dont il a le droit de disposer, pourra obtenir le passage de ces eaux sur les fonds intermédiaires, à la charge d'une juste et préalable indemnité.

Art. 2. Les propriétaires des fonds inférieurs devront recevoir les eaux des terrains ainsi arrosés, sauf l'indemnité qui pourra leur être due.

Art. 3. La même faculté de passage sur les fonds intermédiaires pourra être accordée, aux mêmes conditions, au propriétaire d'un marais ou d'un terrain submergé en tout ou en partie, à l'effet de procurer aux eaux nuisibles leur écoulement.

Art. 4. Sont exceptés des servitudes qui font l'objet des art. 1er, 2 et 3, les bâtiments ainsi que les cours, jardins, parcs et enclos attenant aux habitations.

Art. 5. Tout propriétaire, voulant se servir, pour l'irrigation de ses propriétés, des eaux dont il a le droit de disposer, pourra, moyennant une juste et préalable indemnité, obtenir la faculté d'appuyer, sur la propriété du riverain opposé, les ouvrages d'art nécessaires à sa prise d'eau.

Ces ouvrages d'art devront être construits et entretenus de manière à ne nuire en rien aux héritages voisins.

Sont exceptés de cette servitude les bâtiments et les cours et jardins attenant aux habitations.

Art. 6. Le riverain sur le fonds duquel l'appui sera réclamé pourra toujours demander l'usage commun du barrage, en contribuant pour moitié aux frais d'établissement et d'entretien. Aucune indemnité ne sera respectivement due dans ce cas, et celle qui aurait été payée devra être rendue.

Lorsque l'usage commun ne sera réclamé qu'après le commencement ou l'achèvement des travaux, celui qui le demandera devra supporter seul l'excédant de dépense auquel donneront lieu les changements à faire au barrage pour l'approprier à l'irrigation de son fonds.

Art. 7. Les contestations auxquelles pourront donner lieu l'établissement des servitudes mentionnées aux articles précédents, la fixation du parcours de la conduite d'eau, de ses dimensions et de sa forme, la construction des ouvrages d'art à établir pour la prise d'eau, l'entretien de ces ouvrages, les changements à faire aux ouvrages déjà établis, et les indemnités dues au propriétaire du fonds traversé, de celui qui recevra l'écoulement des eaux ou de celui qui servira d'appui aux ouvrages d'art, seront portées devant les tribunaux, qui, en prononçant, devront concilier l'intérêt de l'opération avec le respect dû à la propriété.

Il sera procédé devant les tribunaux comme en matière sommaire, et, s'il y a lieu à expertise, il pourra n'être nommé qu'un seul expert.

Art. 8. Le gouvernement est autorisé, sur l'avis de la députation du conseil provincial, à appliquer l'art. 4 de la loi du 18 juin 1846, sur l'établissement des wateringues, à des localités non désignées dans ladite loi.

ART. 9 ET DERNIER. Il n'est aucunement dérogé par les présentes dispositions aux lois qui règlent la police des eaux.

II

Nous allons entrer dans quelques détails sur l'application des dispositions principales de la loi de 1848 sur les irrigations.

DROIT DE DISPOSER DES EAUX POUR LESQUELLES ON DEMANDE LE PASSAGE.

Pour obtenir le passage des eaux sur le fonds d'autrui, il faut, aux termes de l'art. 1er, que l'on ait *le droit de disposer des eaux* que l'on veut employer à l'irrigation; il faut, en d'autres termes, que l'on en soit ou concessionnaire, ou usager, ou propriétaire.

Celui qui a obtenu de l'administration supérieure une prise d'eau dans une rivière navigable ou flottable peut user de ces eaux, dans les termes de sa concession, comme un véritable propriétaire, et demander pour elles le passage sur le fonds intermédiaire.

Celui dont un cours d'eau commun borde ou traverse l'héritage ne peut en user que pour arroser cet héritage; mais il a cependant aujourd'hui, en vertu de l'art. 5 de la loi de 1848, le moyen d'utiliser plus complétement l'eau dont il a le droit de disposer. Il arrive en effet fort souvent que le riverain possède le long du courant une étendue de terrain suffisante pour absorber toute l'eau disponible; et la faculté que lui accorde l'art. 5 d'établir sur la rive opposée les barrages nécessaires à la dérivation, lui permettra de jouir, d'une manière complète, de son droit d'usage.

Quant aux eaux de propriété privée, tout propriétaire

pourra obtenir pour elles le passage et le parcours sur le fonds intermédiaire. Pas de réserve dans l'exercice de ce droit, si ce n'est les restrictions prévues par les art. 641, 642, 643 du code civil, auxquelles la loi nouvelle n'a rien changé. Le droit d'aqueduc permettra à l'avenir d'utiliser complétement cette classe d'eaux, l'une des plus précieuses pour l'agriculture.

INDEMNITÉ.

Le droit d'aqueduc sur le fonds intermédiaire est consacré par l'art. 1er de la loi sur les irrigations, mais *à la charge d'une juste et préalable indemnité.*

Quel sera le montant de cette indemnité?

Qui la fixe?

L'indemnité doit être plus ou moins considérable d'après le parcours plus ou moins étendu des eaux sur les fonds intermédiaires ; — d'après la valeur vénale du sol; — d'après le dommage plus ou moins grand que causeront à la propriété asservie l'établissement et l'exercice de la servitude; — d'après bien d'autres circonstances encore.

Fort souvent, le propriétaire du fonds traversé par les eaux pourra lui-même les utiliser pour la fertilisation de son terrain : naturellement alors l'indemnité sera moins forte.

Mais qui fixe l'indemnité?

Deux cas différents peuvent se présenter : ou le propriétaire du fonds voisin que doit traverser l'eau consent à l'établissement et à l'exercice de la servitude, et tout est réglé amiablement; *ou il s'oppose*, et alors on doit avoir recours aux tribunaux.

On suit la même marche pour la servitude de *barrage* (art. 5), dont la demande est également soumise aux tribunaux, si le propriétaire du fonds riverain opposé met obstacle à l'établissement du barrage.

CONTESTATIONS.

Ainsi, toutes les contestations auxquelles pourra donner lieu l'établissement des nouvelles servitudes établies par la loi de 1848 seront portées devant les tribunaux civils (art. 7), et il est procédé comme en *matière sommaire*, c'est-à-dire que l'on emploie une marche plus rapide et moins coûteuse que pour la procédure ordinaire. « *La procédure sommaire n'est en effet qu'un abrégé* « *de la procédure ordinaire.* » (Carré.)

DESSÉCHEMENT DES MARAIS.

La loi sur les irrigations a introduit une modification importante à la législation antérieure, en déclarant dans l'art. 3 que la faculté de passage sur les fonds intermédiaires pourra être accordée au propriétaire d'un marais ou d'un terrain submergé.

Avant la loi nouvelle sur les irrigations, tout ce qui concernait le desséchement des marais était réglé par la loi du 26 septembre 1807.

La plupart des nombreuses prescriptions de cette loi sont respectées par la loi sur les irrigations. Il en est ainsi, par exemple, de cette disposition importante de la loi de 1807 portant : « *que l'État ou des concessionnaires* « *peuvent exécuter le desséchement dont le propriétaire ne veut* « *pas ou ne peut pas se charger.* » Rien n'est changé à cet égard.

Mais sous d'autres rapports la loi sur les irrigations a grandement modifié la loi de 1807. Cette dernière loi veut qu'*aucun desséchement de marais ne soit entrepris sans que le gouvernement ait fait examiner le projet par ses agents.* Il n'en est plus ainsi depuis la loi sur les irrigations. Il résulte des art. 3 et 7 de cette loi que ce sont aujourd'hui les tribunaux civils qui connaissent des demandes en desséchement de marais, dès que le droit de passage sur les fonds intermédiaires est nécessaire pour obtenir ce dessèchement.

C'est aux tribunaux à juger, avant d'accorder la servitude de passage, si l'opération est possible, si l'utilité en est suffisamment justifiée, etc. Pour peu que la demande de passage soulève des questions qui sortent du cercle des connaissances des magistrats, ils auront recours aux lumières des hommes de l'art, et de la sorte les garanties établies à cet égard par la loi de 1807 ne disparaissent aucunement, au contraire. Seulement, dans la plupart des cas, il n'y aura plus lieu de recourir aux nombreuses et longues formalités dont cette loi est surchargée.

En résumé, la loi de 1807 sur les marais n'est point abrogée par la loi de 1848 sur les irrigations; elle est simplement modifiée dans quelques-unes de ses dispositions. Mais la législation quelque peu incertaine qui résulte des dispositions des lois de 1807 et de 1848 mises en présence, donnerait de l'à-propos, ce semble, à une loi nouvelle sur les marais, débarrassée de toute formalité superflue, se conformant aux nouveaux principes consacrés par la loi sur les irrigations, et conciliant les égards dus à la propriété avec les exigences imposées par le développement des spéculations en agriculture.

INSTITUTION DES WATERINGUES.

L'art. 8 de la loi sur les irrigations autorise le gouvernement à *appliquer l'art. 4 de la loi du 18 juin 1846, sur l'établissement des wateringues, à des localités non désignées dans ladite loi.*

Voici les termes de l'art. 4 de la loi de 1846 sur les wateringues : « Le gouvernement est autorisé à faire un « règlement d'administration publique pour l'institution « et l'organisation d'administrations de wateringues, dans « l'intérêt de l'assèchement, de l'irrigation et de l'amélio-

« ration des rives et des vallées de l'Escaut, de la Lys et « de la Dendre. »

On sait qu'on entend par *wateringue* une association de propriétaires possédant chacun une étendue déterminée de terrain irrigable et organisant entre eux une administration dont le but est de faire exécuter et de surveiller des travaux destinés à obtenir ou à améliorer l'irrigation des terrains communs.

Des associations de ce genre (malheureusement trop rares en Belgique) existent dans les vallées de la Lys, de la Dendre et de l'Escaut, et c'est pour donner à ces associations une organisation rationnelle et stable que l'art. 4 de la loi de 1846 a autorisé le gouvernement à faire un règlement sur cette matière.

Un arrêté royal du 9 décembre 1847 a porté ce règlement, qui n'est applicable qu'aux wateringues des vallées de l'Escaut, de la Lys et de la Dendre. Mais l'art. 8 de la loi sur les irrigations autorise le gouvernement, comme nous venons de le voir, à appliquer des règlements de ce genre aux wateringues de toute autre localité, *sur l'avis de la députation du conseil provincial.*

Nous croyons utile de rapporter ici en entier le règlement, émané du ministère des travaux publics, sur les wateringues des vallées de l'Escaut, de la Lys et de la Dendre.

Règlement sur les Wateringues.

ARTICLE PREMIER. Les propriétés situées dans les vallées de l'Escaut, de la Lys et de la Dendre, et intéressées à des travaux communs d'asséchement ou d'irrigation, seront constituées en associations de wateringues.

ART. 2. A cet effet, le gouvernement fera dresser, pour toute l'étendue des vallées de l'Escaut, de la Lys et de la Dendre, le tableau général des propriétés par province et par commune, avec indication de celles qui, pouvant être considérées comme intéressées à des travaux communs d'irrigation ou d'assèchement, devraient constituer une wateringue.

Ce tableau sera transmis aux députations permanentes des conseils des provinces respectives, qui en feront déposer des extraits dans les bureaux des commissaires d'arrondissement, ainsi que dans les maisons communales des communes intéressées.

Des registres seront ouverts pendant un mois, dans ces bureaux et maisons communales, pour y consigner les observations des propriétaires et habitants intéressés.

Dans le mois suivant, les députations permanentes adresseront à Notre Ministre des travaux publics ces registres d'observations, avec les projets motivés de circonscription des diverses wateringues à instituer dans leurs provinces respectives.

Art. 3. Notre Ministre des travaux publics arrêtera, provisoirement, la circonscription des diverses wateringues.

Lorsque les propriétés comprises dans une association de wateringue s'étendent sur le territoire de plus d'une province, Notre Ministre des travaux publics désigne l'administration provinciale sous la surveillance et la juridiction de laquelle l'association est placée.

Art. 4. Dans le délai d'un mois après que la circonscription aura été provisoirement arrêtée par Notre Ministre des travaux publics, les bourgmestres du ressort de chaque wateringue ou ceux qui les remplacent dans leurs fonctions, et les propriétaires qui y possèdent un hectare au moins, seront convoqués en assemblée générale par le gouverneur de la province, et sous sa présidence, ou celle d'un commissaire délégué par lui.

Le propriétaire appelé à l'assemblée générale pourra s'y faire représenter par un fondé de pouvoirs.

Le bourgmestre ou celui qui le remplace dans ses fonctions ne pourra se faire représenter que par un membre du conseil communal.

Art. 5. L'assemblée générale de chaque wateringue rédigera un règlement d'ordre et d'administration intérieure, et donnera son avis sur la circonscription arrêtée provisoirement par Notre Ministre des travaux publics.

Art. 6. Le règlement ne peut être contraire aux dispositions suivantes, qui sont obligatoires pour toutes les associations de wateringues :

1° La direction préviendra, au moins dix jours à l'avance, le gouverneur de la province, du lieu, du jour et de l'heure des réunions en assemblée générale, tant ordinaires qu'extraordinaires.

Le gouverneur a le droit d'y assister et d'y envoyer un commissaire délégué.

2° Les bourgmestres des communes sur lesquelles s'étend la wateringue, ou ceux qui les remplacent dans leurs fonctions, font partie de l'assemblée générale avec voix délibérative. Ils ne peuvent s'y faire représenter que par un membre du conseil communal. Tout autre membre de l'assemblée générale peut s'y faire représenter par un fondé de pouvoirs spécial. La même personne ne peut représenter plus d'un membre, ni émettre plus d'un suffrage.

3° Les membres de la direction, chargés de l'administration de la wateringue, sont nommés par Nous, sur une liste de trois candidats, présentée par l'assemblée générale et soumise à l'avis de la députation permanente du conseil provincial.

4° Les résolutions prises par l'assemblée générale à la majorité absolue des membres présents, sont obligatoires pour les absents : elles ne sont exécutoires qu'après avoir été approuvées par la députation permanente du conseil provincial.

5° Le recouvrement des impositions votées par l'assemblée générale, et dont le rôle de répartition a été rendu exécutoire par la députation permanente du conseil provincial, s'opère comme en matière de contributions directes.

6° Chaque année, les comptes et les budgets généraux de recettes et dépenses sont soumis à l'approbation de la députation permanente.

7° Les ouvrages qui ont pour objet d'établir de nouvelles voies d'écoulement ou d'irrigation, de supprimer ou de changer les voies actuellement existantes, ainsi que les changements de circonscription, ne peuvent être exécutés sans Notre autorisation, les députations permanentes des conseils des provinces intéressées préalablement entendues.

8° Tous autres ouvrages peuvent être exécutés en vertu d'une autorisation de la députation permanente du conseil provincial.

En cas d'urgence, ils pourront même être exécutés sans cette autorisation, par la direction de la wateringue, et, à son défaut, d'office par le gouvernement, sur l'avis conforme de la députation permanente.

9° L'ingénieur en chef des ponts et chaussées dans la province a la haute surveillance de tous les travaux.

Art. 7. Le règlement déterminera :

A. De quelle manière l'assemblée générale sera composée, et l'étendue de la propriété à laquelle est attaché le droit de suffrage.

B. Le nombre, le rang, les devoirs, les attributions et la durée des fonctions des membres de la direction.

C. Le mode à suivre dans l'examen des affaires, dans les délibérations, et, notamment, en ce qui concerne les présentations de candidats, les nominations et les révocations.

D. Les rapports généraux à faire par la direction, et les époques auxquelles ils doivent être faits.

E. L'époque à laquelle, chaque année, les comptes et les budgets doivent être soumis à l'assemblée générale.

F. Les mesures relatives soit à la répartition et à la perception de l'imposition, soit à l'exécution des travaux, soit à la police, et toutes autres que les besoins spéciaux des localités pourraient suggérer.

Art. 8. Le règlement arrêté par l'assemblée générale, accompagné d'une carte figurative fixant la circonscription de la wateringue, sera adressé, dans le délai de deux mois au plus tard, à la députation permanente du conseil provincial, qui, dans la quinzaine, fera parvenir l'un et l'autre, avec ses avis et considérations, à Notre Ministre des travaux publics, pour être soumis par lui à Notre approbation.

Ces divers délais écoulés, le gouvernement pourra arrêter d'office le règlement et la circonscription de la wateringue.

Art. 9. Le gouvernement fera procéder à un nivellement général des cours de l'Escaut, de la Lys et de la Dendre, et fera établir, à proximité de chaque wateringue, des points de repère, auxquels sera rapportée la situation de tous les ouvrages.

Art. 10. Les dispositions qui précèdent sont applicables aux associations dites *Broeken* ou wateringues, déjà constituées dans les vallées de la Lys et de la Dendre, ainsi qu'à celles qui existent dans la partie de la vallée de l'Escaut, non soumises au régime de la législation de 1811 sur les polders maritimes.

Néanmoins, les règlements actuellement en vigueur continueront à sortir leur effet jusqu'à ce que la révision en ait été faite par les assemblées générales, et approuvée par Nous, conformément à l'article 8 ci-dessus.

Le délai dans lequel la révision devra être effectuée sera fixé par Notre Ministre des travaux publics.

Art. 11. Notre Ministre des travaux publics est chargé de l'exécution du présent arrêté.

RÈGLEMENTS PROVINCIAUX

SUR LES COURS D'EAU NON NAVIGABLES NI FLOTTABLES.

La loi sur les irrigations n'a aucunement dérogé aux dispositions qui règlent la police des eaux. L'art. 9 et dernier le déclare formellement.

Les cours d'eau, en général, sont réglementés par les lois et dispositions suivantes : l'ordonnance de 1669 ; les lois des 22 décembre 1789, janvier 1790, 12 et 20 août 1790, 28 septembre et 6 octobre 1791, 14 floréal an XI, l'avis du conseil d'État du 27 pluviôse an XIII, l'arrêté royal du 28 août 1828.

Pour ce qui concerne spécialement les cours d'eau non navigables ni flottables, le pouvoir réglementaire appartient aujourd'hui aux conseils provinciaux. (Art. 85 de la loi provinciale du 30 avril 1836.)

Depuis la promulgation de cette loi, chacune de nos provinces est pourvue, pour la police des eaux non navigables ni flottables, d'un règlement ayant surtout pour objets le curage et l'entretien de ces cours d'eau.

Nous terminerons cet exposé par quelques brefs détails sur l'ensemble des prescriptions de ces divers règlements.

Tous les règlements provinciaux portent *que le curage et l'entretien des cours d'eau non navigables ni flottables est à la charge de tous les propriétaires, usufruitiers ou détenteurs riverains, le long de leurs héritages respectifs et jusqu'au milieu des cours d'eau.*

Généralement, le curage est aussi à la charge de tous les propriétaires d'usine.

L'opération du curage comprend la réparation des digues et des berges qui bordent les cours d'eau, le draguage à vif fond, l'enlèvement des racines, branches, joncs, herbages; l'enlèvement des atterrissements et dépôts quelconques existant dans le lit des cours d'eau, de manière à conserver ou à rendre à ces derniers leur largeur et leur profondeur.

Lorsque les riverains ne s'acquittent pas du curage aux époques désignées, il y est pourvu d'office par l'autorité locale, et le prix des travaux ainsi effectués est à la charge des riverains constitués en demeure.

Il est défendu d'établir des constructions sur les cours d'eau, usines, moulins, ponts, etc., sans l'autorisation de l'autorité compétente.

Il est également défendu de jeter dans les cours d'eau des matériaux pouvant les obstruer, ou des matières pouvant altérer et corrompre les eaux.

Les règlements prononcent des amendes contre les contraventions à leurs prescriptions.

Ces contraventions sont constatées par les bourgmestres et échevins, les gardes champêtres, les commissaires voyers, les agents des ponts et chaussées et tout officier de l'autorité judiciaire.

Quant à la direction et à la surveillance des travaux de curage ou autres relatifs aux cours d'eau non navigables ni flottables, elle est attribuée par les règlements provinciaux aux bourgmestre et échevins. La plupart des conseils provinciaux ont adjoint à ces fonctionnaires, pour le service des cours d'eau, les commissaires voyers nommés en exécution de la loi du 10 avril 1841 sur la voirie vicinale. C'est une excellente mesure dans l'intérêt des cours d'eau. Malheureusement, les commissaires voyers sont généralement déjà très-chargés de besogne par les soins que requiert la voirie vicinale, et ils ne peuvent s'occuper que beaucoup trop accessoirement de ce qui concerne le curage, les réparations, la police en général et le bon état des cours d'eau non navigables ni flottables, qui continuent à être négligés dans beaucoup de localités.

TABLE DES MATIÈRES.

FIN DE LA TABLE.

BIBLIOTHÈQUE RURALE,

INSTITUÉE PAR ARRÊTÉ ROYAL DU 15 SEPTEMBRE 1848.

EN VENTE :

EMPLOI DE LA CHAUX EN AGRICULTURE. Un vol.	Prix : 20 cent.
MANUEL DE CULTURE. Un vol.	80 cent.
MANUEL DE COMPTABILITÉ AGRICOLE. Un vol.	40 cent.
MANUEL THÉORIQUE ET PRATIQUE D'ARBORICULTURE, 2 vol. avec 205 planches gravées.	1 fr. 55 cent.
MANUEL DE DRAINAGE. Un vol. avec 88 pl. gravées.	1 fr. 10 cent.
MANUEL DE CHIMIE AGRICOLE. Un vol. avec pl. gravées.	1 fr. 25 cent.
MANUEL D'IRRIGATION. Un vol. avec 100 pl. gravées.	60 cent.

SOUS PRESSE :

MANUEL FORESTIER. Un vol.
TRAITÉ DES BÊTES BOVINES ET PORCINES. Un vol.
TRAITÉ DES INSTRUMENTS D'AGRICULTURE. Un vol.
TRAITÉ D'ÉCONOMIE RURALE; de la ferme, la basse-cour, etc.

En vente chez le même éditeur :

ANNUAIRE AGRICOLE (1850). Un vol.	1 fr. 25 c.
ALMANACH INDUSTRIEL POPULAIRE. Un vol. avec gravures.	50 c.

LE MONITEUR DES CAMPAGNES,

Revue des progrès agricoles,

Publié sous la direction de M. MAX. LEDOCTE, ancien cultivateur, avec la collaboration de plusieurs propriétaires, cultivateurs, économistes, professeurs d'agriculture, vétérinaires, etc.

CONDITIONS DE SOUSCRIPTION.

Le journal parait le 1er et le 15 de chaque mois, par cahiers de 24 à 32 pages grand in-8o à deux colonnes.

Il publie tout ce qui paraît d'important pour les diverses branches d'industrie agricole. Chaque livraison indique les prix de vente des céréales dans tous les principaux marchés.

Le prix de l'abonnement est de **10 FR.** par année pour la Belgique, franc de port à domicile.

Imprimé en France
FROC022135131020
25419FR00018B/258

9 782329 471051